BIBLIOTHÈQUE RURALE. — 4me SÉRIE, N° 2.

TRAITÉ PRATIQUE

DE LA CULTURE

DES PRAIRIES.

BRUXELLES. — IMPRIMERIE DE J. VANBUGGENHOUDT,
rue de Schaerbeck, 12.

TRAITÉ PRATIQUE

DE LA CULTURE

DES PRAIRIES

— FORMATION — ENTRETIEN —

AMÉLIORATION - RENOUVELLEMENT

SUIVI

DE LA DESCRIPTION DES HERBES

qui peuvent être cultivées

AVEC AVANTAGE AU CENTRE DE L'EUROPE

PAR V. P. G. DEMOOR,

Secrétaire de la Société d'Agriculture et de Botanique d'Alost,
auteur du *Traité des Graminées céréales et fourragères*,
du *Traité de la culture du lin*, etc., etc.

⚜

BRUXELLES,

LIBRAIRIE AGRICOLE D'ÉMILE TARLIER,

Éditeur de la *Bibliothèque rurale*

RUE DE LA MONTAGNE, N° 51

1857

AVIS AU LECTEUR.

—

Cette publication résume en quelques paragraphes la culture des prairies et les opérations que réclament, de la part du cultivateur, ces herbages qui sont le mobile le plus puissant du progrès agricole. Les principes qui forment l'introduction sont suivis de la description botanique, agricole et économique des différents genres et espèces de graminées dont la culture peut être avantageuse. Leur appréciation est basée sur deux ordres de faits : l'analyse chimique d'une part, et, d'autre part, les données pratiques fournies par les éleveurs les plus expérimentés de l'Angleterre, de l'Allemagne, et de la France, corroborées par les renseignements si précieux recueillis par des hommes éminents que la Belgique est fière de pouvoir mettre en parallèle avec les plus grandes sommités agricoles de l'étranger.

La connaissance des gramens reposant souvent sur des caractères qu'un œil exercé est seul capable de saisir, nous avons résolu de publier un herbier de plantes sèches renfermant toutes les espèces décrites dans ce travail et qui composera un volume in-folio. Les lecteurs qui seraient désireux de se procurer cet herbier, peuvent se faire inscrire chez l'éditeur de la *Bibliothèque rurale*, M. Émile Tarlier : le prix est de quinze centimes par plante étalée et dénommée.

CULTURE DES PRAIRIES.

1

On appelle *prairie,* dans la plus large extension du mot, tout terrain qui produit des plantes fourragères.

2

Les prairies sont naturelles ou artificielles.

3

Les prairies naturelles sont celles qui se forment spontanément, c'est-à-dire sans l'intervention de la main de l'homme : leur gazon est composé exclusivement de graminées, ou à la fois de graminées et d'autres plantes fourragères ; on y trouve aussi quelques plantes auxiliaires.

Dans la création des prairies naturelles, le rôle de l'agriculteur se borne à accélérer la formation du gazon.

4

Les prairies naturelles ont une durée illimitée.

5

Les prairies artificielles sont celles que l'homme crée sur tel ou tel terrain et dont la durée est variable, ainsi que la composition.

6

Il est des prairies artificielles qui sont composées de graminées ou d'un mélange de graminées et d'autres plantes fourragères. Ces prairies ont souvent une durée de plusieurs années.

7

Il est d'autres prairies artificielles composées d'une seule plante fourragère, telle que le trèfle, qui ne dure que deux ans, de luzerne ou de sainfoin dont la durée est de 10 à 25 ans.

Ces cultures n'entreront pas dans notre cadre.

8

Les prairies artificielles, uniquement composées de graminées, ont une durée qui varie d'un à dix ans et davantage.

Des Prairies naturelles.

9

Les prairies naturelles permanentes, les vergers enherbés et les prairies temporaires ou artificielles,

composées exclusivement de graminées ou d'un mélange de graminées et d'autres plantes fourragères,
dont la durée est de plus de cinq ans, sont soumises
aux mêmes principes de culture.

10

Les prairies naturelles et la catégorie des prairies artificielles qui leur est annexée, sont destinées à être fauchées ou pâturées.

Elles n'entrent pas régulièrement dans les rota-
tions.

11

Ces prairies sont irrigables, submergibles ou
sèches.

12

Elles sont indispensables dans toutes les exploitations : le cultivateur ne saurait s'en passer lorsque ses terres sont fortes, froides et humides et
enclines à s'enherber.

Il en est de même dans les terres sablonneuses
irrigables ou sujettes aux inondations momenta-
nées.

Dans les terres sèches non irrigables ni inonda-
bles, la culture des prairies est précaire et incertaine : mieux vaut, dans ces circonstances, les
remplacer par la culture d'autres plantes fourragères.

Il est aussi toujours avantageux d'établir des
prairies permanentes sur les terrains frais jusqu'à
la fenaison, qui deviennent secs à l'approche de la
maturité des céréales dont la réussite est par conséquent incertaine, et dans les localités où la
main-d'œuvre est chère.

13

Elles fournissent toujours un grand bénéfice à proximité des grandes villes, où l'on se procure facilement et à peu de frais les fumiers et toutes espèces d'engrais, à moins que les produits maraîchers n'y soient cultivés sur une vaste échelle.

14

Le grand art du praticulteur, c'est d'obtenir sur un terrain donné la plus grande quantité d'herbe possible avec le moins de frais et le plus de qualités.

15

Les prairies destinées à être pâturées par le bétail, en vue de l'engraissement, doivent être entourées de haies ou de barrières, et munies d'abreuvoirs fournissant une eau fraîche et abondante. Le bétail y trouvera des abris derrière ou sous lesquels il pourra se soustraire aux ardeurs du soleil et aux intempéries atmosphériques. Il faut encore qu'il ne soit pas troublé dans son repos.

16

En Angleterre, en Hollande et en Allemagne on suit généralement ces prescriptions.

17

A cette fin, on y établit des hangars, ou on les entoure de haies vives dans lesquelles on plante de distance en distance des arbres de demi-futaie, pour ne pas jeter trop d'ombre et nuire par là au pâturage. Si l'on ne peut y faire ces plantations, ce qui est très-désirable, il ne faut cependant jamais négliger de les clore de barrières : il importe qu'on plante çà et là des poteaux, contre lesquels le bétail puisse aller se frotter ; c'est le meilleur expédient pour empêcher qu'il n'endommage les plantations.

18

Les essences de bois auxquelles on donne la préférence pour la formation des haies, sont le prunier sauvage, le charme, l'orme champêtre, le troëne, le bouleau, l'aubépine, l'ajonc d'Europe.

19

Avant de procéder à l'établissement des prairies, il importe de s'enquérir de la nature du sol, de sa situation et de sa position.

Tout terrain destiné à être converti en prairie doit être soumis à des labours profonds avant l'hiver, être égalisé et nivelé par des labours superficiels. Il sera assaini par le drainage, s'il y a une pente suffisante, quand il sera couvert de nappes d'eau stagnante ou que son sous-sol sera imperméable. Une végétation adventice, formée par des joncs, des laiches ou d'autres plantes analogues indique l'imperméabilité du sous-sol.

S'il y a lieu d'établir des fossés et des rigoles pour éconduire ou recueillir les eaux, on doit faire en sorte qu'ils donnent bien les résultats qu'on en attend.

Le terrain qui est trop aride doit être arrosé et amendé ; celui qui est trop maigre doit être fumé et engraissé.

20

En changeant les conditions du sol et en défonçant le sous-sol imperméable, en l'arrosant, le fumant, on le rend apte à produire un gazon de bonne espèce.

21

Dans les terres fortes, les labours se font aussi profondément que possible.

22

Dans les terres sablonneuses, dont la couche dépasse plus de quarante centimètres, les labours profonds sont moins nécessaires : ici, il faut s'attacher particulièrement aux roulages qui raffermissent le terrain.

23

Les terrains sablonneux, quoique donnant en général une récolte moins abondante, fournissent, par contre, les meilleures qualités de fourrages.

Les terrains froids, compactes et humides, humeux et marécageux, produisent une plus grande quantité d'herbes, mais perdent sous le rapport de la qualité : en règle générale, les fourrages qui en proviennent sont grossiers et médiocres. Ils peuvent s'améliorer considérablement par l'emploi du sable, de la chaux et d'autres amendements.

24

Les espèces fourragères reconnues comme fournissant la plus grande quantité de substances alimentaires et nutritives, semées dans des conditions données, ne s'y maintiennent pas toujours, disparaissent souvent et perdent parfois de leurs propriétés nutritives.

25

Chaque espèce, dit le comte de Gasparin, cherche à s'étendre en combattant ses voisines, et c'est après une longue série de luttes que l'équilibre s'établit et que chacune d'elles finit par occuper le rang relatif à sa force de végétation ou à la facilité de sa multiplication.

Il se passe quelquefois longtemps avant qu'un gazon soit complétement formé. Il faut que les circonstances favorisent le dépôt des germes qui conviennent le mieux au terrain, que la guerre intestine que les plantes se livrent entre elles soit terminée par le balancement réciproque des forces des végétaux. Mais un gazon vieux ne se modifie plus radicalement; il éprouve seulement des variations causées par celles des saisons qui favorisent tantôt les plantes qui aiment la fraîcheur, tantôt celles qui supportent la sécheresse. Dans les gazons pâturés pendant toute la belle saison, les plantes que les troupeaux refusent de manger se multiplient de préférence, parce qu'elles viennent toutes à maturité et se disséminent abondamment.

26

Les espèces réputées médiocres dans d'autres circonstances s'améliorent, sous le rapport de la quantité et de la qualité de la récolte, lorsqu'on les place dans des conditions opposées.

27

Les espèces fourragères n'ont donc pas des qualités absolues.

28

Il n'est guère avantageux de semer une seule espèce de graine graminée réputée la meilleure, attendu que l'expérience a appris que souvent elle disparaît çà et là, en laissant des vides préjudiciables aux intérêts de l'agriculteur.

29

Dans les terres fertiles de bonne nature argilo-sablonneuse, on trouve :

Orge des prés (Hordeum pratense.)
— des souris (Hordeum murinum.)
Ivraie d'Italie (Lolium italicum.)
— vivace (Lolium perenne.)
Cynosure crételle (Cynosurus cristatus.)
Fétuque fausse ivraie (Festuca loliacea.)
— des prés (Festuca pratensis.)
— durette (Festuca duriuscula L.)
Brome inerme (Bromus inermis.)
— seiglin (Bromus secalinus.)
— échangé (Bromus commutatus.)
— en grappe (Bromus racemosus.)
— mou (Bromus mollis.)
Dactyle gloméré (Dactylis glomerata.)
Paturin des bois (Poa nemoralis.)
— trivial (Poa trivialis.)
— fertile (Poa fertilis.)
— des prés (Poa pratensis.)
Avoine jaunâtre (Avena flavescens.)
Arrhénathère fausse avoine (Arrhenatherum avenaceum.)
Houque laineuse (Holcus lanatus.)
Flouve odorante (Anthoxanthum odoratum.)

Agrostide blanche (Agrostis alba.)
Fléole des prés (Phleum pratense.)
Vulpin des prés (Alopecurus pratensis.)

30

Dans les terres sablonneuses peu riches, situées sur des hauteurs, on constate :

Orge des prés (Hordeum pratense.)
— des souris (Hordeum murinum.)
Ivraie vivace (Lolium perenne.)
Nard élancé (Nardus stricta.)
Fétuque ovine (Festuca ovina.)
— rouge (Festuca rubra.)
Brome stérile (Bromus sterilis.)
Brome dressé (Bromus erectus.)
Énodie bleue (Enodium cœruleum.)
Brize moyenne (Briza media.)
Paturin comprimé (Poa compressa.)
Kœlérie crêtée (Kœleria cristata.)
Seslérie bleuâtre (Sesleria cœrulea.)
Avoine des prés (Avena pratensis.)
— pubescente (Avena pubescens.)
Canche flexueuse (Aira flexuosa.)
Corynéphore blanchâtre (Corynephorus canescens.)
Houque molle (Holcus mollis.)
Agrostide vulgaire (Agrostis vulgaris.)
Digitaire rouge (Digitaria sanguinalis.)
— glabre (Digitaria glabra.)

31

Dans les terrains humides, marécageux, tourbeux et soumis à des inondations périodiques ou à sous-sol imperméable, on distingue :

Fétuque roseau (Festuca arundinacea.)
— des prés (Festuca pratensis.)
— géant (Festuca gigantea.)
Glycérie élevée (Glyceria spectabilis.)
— flottante (Glyceria fluitans.)
— maritime (Glyceria maritima.)
Paturin commun (Poa trivialis.)
Roseau à balais (Arundo phragmites.)
Catabrose aquatique (Catabrosa aquatica.)
Canche cespiteuse (Aira cespitosa.)
Agrostide blanche (Agrostis alba.)
— des chiens (Agrostis canina.)
Alpiste roseau (Phalaris arundinacea.)
Fléole des prés (Phleum pratense.)
Vulpin des prés (Alopecurus pratensis.)
— genouillé (Alopecurus geniculatus.)

32

Quoique le praticulteur ne soit nullement l'arbitre de la nature des herbes qu'il voudrait trouver dans ses prairies, il importe néanmoins qu'il choisisse les espèces dont les exigences se rapprochent entre elles sous le rapport de la nature du sol, de sa situation, de son exposition et de l'époque de leur plus grand développement.

33

Les prairies peuvent être composées en prenant uniquement pour base l'époque de la floraison des espèces, ou, tout en ne négligeant pas cette donnée, d'après la nature plus ou moins humide du sol.

34

En Angleterre, on s'attache beaucoup à avoir des prairies qui n'atteignent pas tout leur dévelop-

pement vers la même époque. Voici quelques
mélanges qui y jouissent d'une grande vogue ; ils
sont rangés par ordre de précocité :

1. Ivraie vivace.
   Brome mou.
   Paturin annuel.
   Flouve odorante.
   Vulpin des prés.

Ce mélange donne un gazon qui fleurit vers la
mi-mai, époque à laquelle on le fauche.

On estime qu'un hectare donne environ 340 kilogrammes de matières nutritives.

2. Fétuque fausse ivraie.
   — des prés.
   — durette.
   Paturin des prés.
   — commun.
   Brize moyenne.

Il se fauche vers le commencement de juin ; ses
matières nutritives sont évaluées à 455 kil.

3. Ivraie d'Italie.
   — vivace.
   Fétuque des prés.
   Brome dressé.
   Dactyle gloméré.
   Paturin trivial.
   Arrhénathère fausse avoine.

Ce gazon fleurit vers le milieu de juin et donne
environ 785 kil. de matières nutritives.

4. Orge des prés.
   Cynosure crételle.

2

Paturin fertile.
— des prés.
Avoine jaunâtre.
Houque laineuse.
Fléole des prés.

Se fauche vers la mi-juillet : son rendement en matières nutritives est évalué à 956 kil.

Quelques espèces se distinguent en ce qu'elles jouissent d'une force de végétation très-active qui commence dès les premiers beaux jours du printemps et se continue jusqu'à la floraison, qui a lieu vers le commencement de juin. Ces espèces sont très-utiles et avantageuses pour entrer en grande proportion dans les prés destinés au pâturage des brebis portières.

On peut signaler comme telles :

5. L'ivraie d'Italie.
   — vivace.
Le dactyle gloméré.
Le paturin fertile.
— des bois.
La fléole des prés.

35

En considérant particulièrement la nature du sol et sa situation, on peut recommander divers mélanges.

36

Le mélange pour les terrains secs, sablonneux, non irrigables, est composé pour le pâturage, de :

Ivraie vivace . . . . 6 parties.
Brome dressé. 4   »

Fétuque des brebis. . . . . . .   4 parties.
.— durette   4   »
Brize moyenne.   5   »
Avoine jaunàtre   6   »
— pubescente   5   »
Crételle des prés.   10   »
Paturin des prés.   8   »
Dactyle gloméré   4   »
Houque molle   4   »
Flouve odorante   1   »
Trèfle rampant.   8   »
Lotier corniculé   4   »

On emploie de 50 à 65 kil. de semence à l'hectare.

37

Lorsque c'est une prairie destinée à être fauchée, on la compose de :

Fétuque durette . . . .   10 parties.
— rouge.   10   »
Brize moyenne.   10   »
Houque molle   6   »
— laineuse   6   »
Paturin des bois   6   »
Avoine pubescente   6   »
Brome dressé   8   »
Trèfle rampant.   8   »
Lotier corniculé   4   »

On emploie de 50 à 65 kil. de semence.

38

Si le terrain est argileux sec, on prend :

Ivraie rieffel mutique.

Dactyle gloméré.
Paturin des prés.
— des bois.
Fétuque des prés.
Alpiste roseau.
Gesse des prés.

39

Dans les terrains calcaires secs, on conseille :

Ivraie vivace	10	parties.
Brome dressé	10	»
Dactyle pelotonné	10	»
Kœlérie crêtée	10	»
Seslérie bleue	10	»
Trèfle rampant	2	»
— couché	2	»
Sainfoin	5	»

65 à 85 kil. à l'hectare.

40

Dans les sols sablonneux ou argilo-sablonneux, frais et ombragés, non irrigables, on emploie :

Paturin des prés	2	parties.
— des bois	2	»
Fétuque fausse ivraie	4	»
Avoine jaunâtre	5	»
— pubescente	2	»
Dactyle pelotonné	4	»
Houque laineuse	2	»
Cynosure crételle	5	»
Ivraie vivace	4	»
Vulpin des prés	5	»

Agrostide vulgaire . . . . 2 parties.
Trèfle rampant. 4   »
Vesce à bouquet 1   »

A raison de 45 à 55 kil. à l'hectare.

41

Sur les terrains sablonneux, frais et inondés quelquefois par les eaux de la mer, on recommande :

Ivraie vivace . . . . 4 parties.
Fétuque fausse ivraie. 4   »
— durette 5   »
Glycérie maritime 5   »
Paturin des prés 5   »
Fléole des prés. 5   »
Dactyle gloméré 4   »
Vulpin des prés 5   »
Lotier maritime 1   »
Trèfle des prés. 1   »
Plantain maritime 1   »

On emploie de 55 à 65 kilogrammes à l'hectare.

42

Dans les terrains sablonneux ou calcaires susceptibles d'irrigation, on a recours au mélange suivant :

Fétuque fausse ivraie.
Ivraie vivace . . . . 4 parties.
Dactyle pelotonné 5   »
Paturin commun 4   »
— des prés. 5   »
— des Alpes 5   »
Houque laineuse. 3   »

Avoine jaunâtre	5	parties.
Fléole des prés	5	»
Flouve odorante	2	»
Agrostide vulgaire	4	»
Trèfle des prés	1	»
Gesse des prés	1	»

Le dosage de la semence est de 40 à 50 kilogr.

43

Dans les terrains argilo-sablonneux ou argilo-calcaires susceptibles d'irrigation, on compose le mélange destiné à être pâturé, comme suit :

Flouve odorante	1	parties.
Fléole des prés	2	»
Cynosure crételle	1	»
Avoine jaunâtre	1	»
Fétuque fausse ivraie	4	»
Ivraie vivace	4	»
Orge des prés	5	»
Paturin commun	2	»
— annuel	2	»
Vulpin des prés	5	»
Trèfle des prés	2	»
-- blanc	2	»
--- couché	2	»

On emploie environ 50 kilogr. à l'hectare.
Quand il est destiné à être fauché, on emploie :

Ivraie vivace	4	parties.
Arrhénathère élevée	6	»
Paturin des prés	4	»
- commun	4	»
Agrostide vulgaire	4	»

Vulpin des prés. . . . . 5 parties.
Fétuque des prés. . . . . . . 4 »
— fausse ivraie . . . . 4 »
Dactyle pelotonné . . . . . . 5 »
Flouve odorante . . . . 2 »
Fléole des prés. . . . . 2 »
Trèfle des prés. . . . . 1 »
Vesce à bouquets. . . . . . . 1 »
Lotier corniculé . . . . 1 »

Le dosage est de 60 à 65 kilogr. à l'hectare.

44

Dans les terrains glaiseux ou argileux susceptibles d'irrigation, on emploie :

Vulpin des prés . . . . 8 parties.
Fétuque des prés. . . . . . . 20 »
— fausse ivraie . . . . 15 »
Paturin des prés . . . . 10 »
— commun . . . . 16 »
Fléole des prés. . . . . 10 »
Ivraie vivace. . . . . 21 »
Avoine jaunâtre . . . . 10 »
Trèfle rampant. . . . . 8 »
Vesce des haies. . . . . 8 »

On emploie environ 75 kilogr. à l'hectare.
Si l'eau séjourne assez longtemps sur quelques
parties de la prairie, on y sème le mélange suivant :

Vulpin des prés . . . . 8 parties.
— genouillé . . . . 1 »
Fétuque des prés. . . . . . . 10 »
Glycérie flottante. . . . . . . 2 »
Paturin commun. . . . . . . 8 »

On emploie de 50 à 60 kilogr. de semence.

45

Dans les terrains marécageux ou marais desséchés, on emploie :

Alpiste roseau	4	parties.
Fétuque roseau	5	»
Glycérie élevée.	5	»
— flottante.	4	»
Canche aquatique	2	»
Fléole des prés.	5	»
Agrostide blanche	4	»
Vulpin des prés	5	»
— genouillé.	5	»
Gesse des marais.	1	»
— des prés	1	»
Vesce des haies	1	»

A raison de 50 à 65 kilogr. à l'hectare.

46

Dans les terrains inondés pendant une partie de l'année, on sème :

Glycérie élevée.	5	parties.
— flottante	4	»
Alpiste roseau	5	»
Fétuque roseau.	8	»

A raison de 60 kilogr. à l'hectare.

47

Le semis se fait à la volée ou au semoir.

L'époque des semailles la plus propice et qui fournit les meilleurs résultats, tombe de la mi-août à la fin de septembre, et même plus tard.

Si on ne peut les exécuter alors, on les remettra jusqu'au mois de mai.

On ne sème presque jamais une prairie sans lui donner une plante protectrice, choisie parmi les céréales. Si le semis se fait avant l'hiver, on choisit le seigle, l'orge, l'épeautre ou le froment ; si c'est au printemps, on lui associe l'avoine. Ces céréales se sèment les premières et se recouvrent à la herse.

On coupe ces fourrages au moment de la floraison ; si on le fait plus tôt, on s'expose à les voir repousser du pied.

48

Le semis se pratique en une ou deux fois. On fait un mélange intime de toutes les espèces de graines, ou bien on sépare les grosses graines des petites.

49

Lorsqu'on fait l'emblavure en deux fois, on sème d'abord les grosses graines qu'on enterre en y faisant passer la herse renversée. Ensuite, on sème les graines fines qu'on ne couvre pas : on se borne à y faire passer à deux ou trois reprises le rouleau et le traineau.

50

L'emblavement se faisant en une fois, on y fait passer le rouleau seul ou suivi du traineau.

51

L'enfouissement de la graine à une profondeur qui dépasse trois millimètres à un centimètre, selon l'espèce et la grosseur du fruit, est toujours préjudiciable à la nouvelle prairie.

Les jeunes plantes provenant de graines fines sont déjà épuisées avant de se montrer à la surface du sol.

52

La quantité de semence à employer varie avec la nature du sol, le temps qui règne pendant le semis, et le nombre des espèces qui entrent dans le mélange.

53

Si le sol est humide, on augmente d'un dixième la quantité de semence. Il en est de même si le mélange n'est composé que de deux ou trois espèces.

54

Il est absurde et il répugne au praticien de voir appliquer, par quelques agronomes théoriciens, les données mathématiques au dosage de la semence qu'il convient d'employer.

55

Un semis un peu trop dru ne porte aucune atteinte sensible et durable au produit de la prairie; tandis qu'une prairie faite par un semis clair n'atteint la productivité qu'elle aurait dû avoir du premier abord, qu'après plusieurs années de végétation, si toutefois elle se rétablit; car plus les jeunes plantes de gazon sont espacées, plus les mauvaises herbes trouvent de la place pour s'établir et se propager. C'est à quoi il est souvent difficile de remédier immédiatement.

56

Les prairies récemment faites demandent à être pâturées dès la première année, si l'herbe s'est bien enracinée ; mais cela ne pourra se faire qu'après qu'on y aura fait passer préalablement à diverses reprises un pesant rouleau.

57

Si les herbes croissant sur un sol sablonneux sont peu enracinées, ou si elles semblent clair-semées, comme cela se voit souvent dans les prairies à sol compacte, il faut l'attribuer à ce que le sol n'est pas suffisamment raffermi, ou que le tallage des plantes n'a pas encore eu lieu : dans les deux cas, on y fait passer plusieurs fois le rouleau. On doit s'abstenir d'y envoyer pâturer les moutons, car on s'exposerait à voir les herbes plutôt arrachées que coupées. La pression du rouleau suffit pour obtenir un résultat des plus favorables sur la végétation.

58

La prairie, quelle qu'elle soit, n'atteint toute sa richesse de végétation qu'au bout de quatre ou cinq ans.

Les bonnes prairies présentent à l'œil, en hiver, un vert franc.

Les prairies médiocres ou mauvaises ont, au contraire, alors, un aspect jaunâtre ; leur herbe semble rissolée et brûlée.

59

Les vieilles prairies donnent un foin plus nutritif, sous le même volume, que les prairies nouvellement faites.

60

Les prairies demandent des soins et des opérations variées : ce sont les sarclages, l'engraissement, l'irrigation, le rajeunissement ou le renouvellement.

61

Des agronomes qui jouissent d'une réputation européenne ont écrit que les graminées ne demandent pour toute nourriture que de l'eau aérée, non chargée de matières fertilisantes, que les prairies n'ont pas besoin d'être engraissées et qu'elles tirent leur nourriture de l'eau et de l'air.

62

L'observation dément tous les jours ce système : les prairies non soumises à un mode d'engraissement quelconque finissent, et cela au bout de peu d'années, par s'appauvrir, s'affaiblir et s'épuiser complétement.

63

C'est un malheureux cultivateur que celui qui s'est établi dans une contrée sablonneuse où il ne peut arroser, car de toutes les plantes fourragères, les graminées sont sans contredit celles qui demandent de l'humidité et des matières humeuses en plus forte quantité.

64

Les prairies pâturées se maintiennent dans un état de fertilité satisfaisant.

65

Les prairies soumises au fauchage doivent être engraissées.

66

Celles dont la première coupe seule est fanée et les autres soumises au pâturage, demandent à être engraissées, mais moins que les premières.

67

Quoique l'engraissement soit profitable, on ne peut néanmoins admettre les exagérations de ceux qui prétendent que le fumier appliqué aux prairies rend au moins le double de ce qu'on leur donne. Si cette erreur était admise, elle distrairait une grande partie des engrais au détriment des terres arables, sans donner comme compensation une rémunération sérieuse.

68

Les cultivateurs donneront d'abord une dose convenable d'engrais à leurs terres arables, et alors ils prélèveront un beau bénéfice sur celui qu'ils accorderont à leurs herbages.

69

On ne peut préciser rigoureusement la quantité d'engrais à appliquer à un hectare de prairie; cette quantité est subordonnée à la nature de l'engrais et à celle de la prairie elle-même.

70

Les prairies bien assainies par le drainage exigent beaucoup moins d'engrais pour obtenir une

5

récolte égale à celle des mêmes prairies non assainies.

71

Plus une prairie est riche en matières végétales humeuses, moins elle demande d'engrais animaux ou végétaux. Les amendements calcaires et marneux opèrent des effets remarquables.

72

Dans les exploitations où abondent les terres fortes et froides, on doit s'attacher à rendre les prairies très-productives, pour suppléer par là à la diminution qu'éprouvent toutes les autres récoltes fourragères.

73

Les prairies à sols sablonneux et légers doivent être engraissées plus souvent, mais moins abondamment que les prairies à sols compactes.

74

Les prairies engraissées une fois, deviennent rapidement beaucoup moins productives, tant en quantité qu'en qualité, si on ne continue pas à les engraisser convenablement, car les engrais favorisent le développement des bonnes graminées, et font dépérir les petites plantes adventices, qui pullulent dans les prairies médiocres.

75

Les engrais qu'on applique aux prairies sont nombreux; on les distingue en : 1° engrais minéraux, dont plusieurs doivent être considérés comme des amendements ; 2° engrais végétaux ; 3° engrais de ferme, et 4° engrais mixtes.

76

Les engrais minéraux sont la chaux, la marne, le plâtre, le sel (chlorure de sodium), le salpêtre, les cendres et la suie.

Les engrais végétaux sont les tourteaux de colza, la sciure de bois, la tourbe, le tan, les germes de l'orge.

Les engrais animaux sont les divers sels ammoniacaux, les urates, le guano, la poudrette, la gadoue ou vidange, le purin et les os en poudre ou dissous dans des acides.

Les engrais mixtes sont les composts et les boues de rue.

77

La chaux constitue un engrais-amendement précieux pour les prairies humeuses, et notamment pour celles qui contiennent en outre des matières acides ou riches en détritus végétaux, pour les terrains incultes couverts de bruyères, de fougères, et pour les sols froids et compactes.

78

On l'emploie à raison de 280 à 380 hectolitres à l'hectare. On a vivement recommandé les composts faits avec du fumier d'étable et de la chaux. Cette pratique pèche contre les lois de la science. Il faut s'en abstenir.

79

La marne présente à peu près les mêmes propriétés que la chaux : elle rend l'herbe savoureuse, agréable et très-profitable au bétail, notamment aux bêtes à laine, quoiqu'elle agisse aussi très-efficacement sur les autres ruminants, en favorisant et améliorant la sécrétion laiteuse. Ses effets sont plus durables que ceux de la chaux, ce qui tient probablement à ce que la marne, outre la chaux, contient encore diverses autres matières fertilisantes.

80

Le plâtre (sulfate de chaux), là où on peut se le procurer à des prix favorables, constitue un bon engrais stimulant, tout en fixant les gaz qui s'échappent de la décomposition des corps en putréfaction.

Il est à remarquer que sur les terres fortes et froides le plâtre cru agit plus efficacement que le plâtre cuit, qui est plus utile dans les terrains légers.

Le plâtre n'est pas d'une utilité sensible sur les sols qui ont été chaulés en temps convenable.

81

On le répand le matin lorsque les feuilles sont encore mouillées de rosée ou de pluie ; car il reste sans effet lorsqu'il est répandu par un temps sec.

82

On l'emploie à raison de 6 à 18 hectolitres à l'hectare, plutôt comme fixateur des principes volatils et stimulant de la végétation, que comme matière nutritive pour les végétaux.

83

Le sel commun, le sel gemme ou chlorure de sodium, sali de matières étrangères colorantes, que beaucoup d'agronomes ont recommandé comme un engrais fécondant, ne peut être considéré que comme un stimulant de la végétation, et employé à ce titre à faible dose.

84

On l'emploie dans les terres sablonneuses légères, où il attire pendant un certain temps l'humidité de l'air, à raison de 12 à 20 hectolitres à l'hectare.

85

Le salpêtre ou nitrate de potasse est en usage, en Angleterre, sur les terres légères, sèches, élevées et glaiseuses, à raison de 90 à 180 kil. à l'hectare.

86

Les cendres sont de diverses espèces. Il y a les cendres :

1° *Végétales*, provenant de l'incinération de toutes sortes de débris végétaux : on les emploie pour toutes les terres froides, fortes et compactes, glaiseuses et argileuses, à raison de 56 à 60 hectolitres à l'hectare. On a soin de les répandre aussi uniformément que possible.

2° *Les cendres de tourbe* conviennent spécialement pour les prairies aigres. On les répand en avril à raison de 50 à 55 hectolitres. Par l'emploi de ces cendres, dont l'action ne se prolonge que pendant deux ans tout au plus, on double souvent le produit de la prairie.

3° *Les cendres de houille* sont très-utilement employées sur les prairies à sols froids et forts : elles sont moins fécondantes que les cendres de tourbe ou de bois ; elles se décomposent peu à peu.

87

La suie de bois, qui est très-active surtout dans les terres argileuses et froides, s'emploie à raison de 36 à 60 hectolitres à l'hectare.

88

La suie de houille, beaucoup plus stimulante, prolonge ses effets pendant deux ans et plus, et ne s'emploie qu'à dose moins élevée.

89

Les tourteaux de colza, lorsque le prix en permet l'emploi, constituent l'un des engrais les plus efficaces que l'on puisse recommander. Ils ont formé la base et le mobile principal de la bonne culture et de la richesse agricole dans les Flandres, conjointement avec les engrais liquides.

Ils conviennent particulièrement sur les terres compactes et humides.

On les emploie en poudre ou bien dissous dans du purin ou de l'eau de rivière. Si on ne les répand pas uniformément et après une pluie, les tourteaux réduits en poudre peuvent occasionner de graves dégâts.

Leurs effets ne se prolongent pas au delà de deux ans.

90

La dose à employer varie, en poudre, de 56 à 40 hectolitres à l'hectare.

91

La sciure de bois, employée sans qu'on en ait provoqué la décomposition par l'immixtion de chaux, le tout mis en tas et arrosé de temps à autre avec du purin, n'est guère avantageuse. Si elle a été traitée comme il vient d'être dit, cette espèce de compost opère des effets utiles sur les terres fortes et froides.

Si on n'use pas de précaution lors de l'épandaison, qui doit se faire après une pluie, il peut arriver que l'herbe soit brûlée.

92

La tourbe, employée en nature, constitue un engrais dont l'action n'est pas très-marquée ; elle acquiert des propriétés très-fertilisantes pour les prairies, si on en forme des tas en mélange avec de la chaux, qu'on arrose, pendant quelque temps, une ou deux fois par jour, avec du purin ou des urines.

93

Le tan, qu'on laisse se décomposer à l'air dans un lieu humide et avec lequel on forme des tas en mélange avec du sable et des boues de rue, constitue un très-bon engrais pour les plantes des prairies.

94

Les fouraillons ou germes provenant de l'orge

germée forment la base d'un des meilleurs engrais
végétaux.

Il n'est qu'une chose à regretter : c'est que l'on
ne peut se les procurer que difficilement et en petite quantité. Cependant, dans plus d'une contrée,
ces germes, par ignorance, ne sont pas employés à
la fertilisation des prairies.

95

Le sulfate d'ammoniaque et les eaux ammoniacales provenant de la dépuration du gaz d'éclairage
sont des matières fertilisantes d'une haute utilité :
les frais élevés du premier s'opposent à son emploi
général. L'utilité des eaux ammoniacales, malgré les
belles observations du savant Kuhlman, n'est mal-
heureusement pas encore suffisamment appréciée.

96

Le sulfate d'ammoniaque s'emploie sur les terres
légères à raison de 90 kil. à l'hectare en mélange
avec parties égales de cendres ou de terre.

97

Le sel ammoniaque (chlorhydrate d'ammoniaque)
et le phosphate d'ammoniaque s'emploient de la
même façon : le premier à raison de 90 kilog., et
l'autre, de 50 kil. par hectare.

98

Les urates qui sont extraits des urines doivent
être considérés comme des engrais des plus actifs
et très-utiles dans toutes les espèces de sols.

On les emploie, dissous dans l'eau ou réduits en
poudre fine, en mélange avec du sable, sur les

terres légères sablonneuses, comme sur les sols glaiseux et argileux, à raison de 125 kil. à l'hectare.

99

Le guano, sur lequel la presse agricole, la spéculation mercantile et la science ont attiré l'attention des agriculteurs, occupe le premier rang parmi tous les engrais pulvérulents que l'on rencontre aujourd'hui dans le commerce.

Mais il ne suffit pas qu'il porte le nom de *guano du Pérou*, il faut que sa composition vienne le justifier.

Le guano, qui n'a qu'une action peu durable, se fait surtout remarquer par ses effets dans les années humides et froides.

Si le guano, dans ces circonstances, ne donne pas un résultat favorable, il ne faut pas en accuser la substance fertilisante qui mérite le nom de *péruvienne*, mais mettre l'insuccès à la charge de la fraude et de la sophistication.

On a vu plus d'une fois des échantillons soumis à l'analyse physique et chimique par des hommes éminents dont la probité est au-dessus de toute suspicion d'intérêt, ne contenir que 15 p. c. de véritable guano. C'est désolant, mais c'est véridique. M. le professeur Melsens a rendu un service important à l'agriculture en lui indiquant un moyen simple et peu dispendieux pour constater toutes les adultérations auxquelles le guano a donné lieu.

100

Le guano du Pérou s'emploie en poudre, soit seul, soit en mélange intime avec du sable, à raison de 250 à 350 kil. à l'hectare.

Les autres guanos sont moins fécondants et

doivent s'employer à plus forte dose ; cela dépend de leur composition.

101

Le dosage du purin et de la poudrette se règle d'après leurs qualités.

102

Les engrais liquides, qui comprennent les urines des divers animaux et les vidanges, ont fait la richesse d'une grande partie de l'agriculture des Flandres. Ils ont, en effet, remédié à la stérilité des landes considérables qui ne produisaient que çà et là une touffe de mauvaises herbes ou de graminées de qualité inférieure. C'est aussi dans ce pays privilégié, mais privilégié seulement à cause de l'activité incroyable de ses travailleurs agricoles, que les Anglais et toutes les nations dont l'agriculture est un peu avancée, sont venus recueillir les notions pratiques pour aller fertiliser leurs terres alors si peu productives. Les vidanges ne s'emploient jamais avant qu'elles aient subi un commencement de fermentation. Pour empêcher la volatilisation des matières ammoniacales qui se produisent pendant la fermentation, on a soin d'ajouter aux vidanges des citernes, soit du plâtre, soit du sulfate de fer.

103

La quantité à employer varie, selon le degré de concentration du liquide et la nature de l'engrais, de 120 à 525 hectolitres à l'hectare et plus.

La récolte augmente en raison de la dose d'engrais dont on dispose. L'exploitation de Kennedy, en Angleterre, en fournit un bel exemple, ses produits sont presque fabuleux.

104

Les débris des animaux morts forment un engrais très-fécondant : les parties molles sont mises en tas alternes avec du sable, du plâtre, de la terre des fossés, jusqu'à décomposition.

Les parties dures, les plumes, etc., sont mises en tas avec une bouillie de chaux vive à laquelle on ajoute de la terre ou du sable.

105

Les os se réduisent en poudre plus ou moins fine entre des cylindres disposés *ad hoc*, ou se dissolvent dans des acides dilués.

106

En poudre, les os opèrent des effets remarquables dans les sols sablonneux, légers et argilo-sablonneux ou loameux.

On les emploie seuls à raison de 36 à 40 hectolitres à l'hectare ou mêlés à des cendres moyennant 27 à 33 hectolitres.

Les effets des os se manifestent pendant plusieurs années, en raison directe de la finesse de la poudre. Ce n'est qu'à partir de la deuxième année que la végétation s'en ressent beaucoup. Mélangés avec des matières diverses organiques et terreuses, ils forment d'excellents composts.

107

Quand on veut obtenir la dissolution des os, on les réduit d'abord en poudre; on les met dans de grandes cuves et on verse dessus, par hectolitre d'os, vingt litres d'eau bouillante; on agite bien le

tout; après quoi on y ajoute 10 kil. d'acide sulfu-
rique, et on remue la masse pendant un quart
d'heure, pour l'abandonner ensuite à elle-même
pendant vingt-quatre heures. Les os sont alors réduits en une bouillie épaisse à laquelle on ajoute
du charbon en poudre ou du sable jusqu'à consistance pulvérulente.

Ce compost minéro-animal est aussi employé
avec beaucoup d'avantages sur les prairies de toute
nature.

108

On traite de la même manière le sang des animaux de boucherie.

109

Les engrais de ferme sont ceux que le cultivateur se procure à la fois le plus facilement et dont
il peut mesurer avec certitude la richesse et, par
conséquent, les effets.

Il doit s'appliquer à produire chez lui les agents
fertilisants pour ses terres arables et ses prairies.

Quoique l'on ait dit que le bétail est un mal
nécessaire, le praticien se gardera bien de discon-
venir qu'il ne soit le nerf de l'agriculture et la base
de sa richesse, car c'est par lui qu'il augmente tous
les jours son avoir.

Il lui importe donc de consacrer le plus de terres
qu'il est possible à la culture des plantes fourragères, dans lesquelles gît tout le progrès agricole ;
les Flandres et quelques contrées en Angleterre en
sont des exemples non équivoques.

110

Les engrais de ferme ne s'emploient jamais frais ;

on les laisse parvenir préalablement à un certain
degré de fermentation.

Pour empêcher la déperdition des gaz ammoniacaux, si utiles à la végétation, on les alterne avec
du sable ou du plâtre, ou on les arrose avec une
dissolution de sulfate de fer, moyens aussi simples
que sûrs dans leurs effets.

111

Le fumier de cheval convient sur les prairies
froides.

Le fumier de vache est utile sur les prairies
légères, sablonneuses.

Le fumier de porc s'applique sur les prés à sol
froid et humide.

Le fumier de mouton est précieux sur tous les
sols, mais notamment sur les prairies à sol compacte.

Les fientes des oiseaux de basse-cour, desséchées,
réduites en poudre et mélangées avec de la tourbe,
méritent la préférence sur tous les autres engrais
pour les prairies froides.

Tous ces engrais sont convertis en compost pulvérulent avec du sable et répandus à la pelle aussi
uniformément qu'on le peut.

112

Les engrais mixtes sont le résultat des mélanges
de deux ou plusieurs des substances fertilisantes
dont il a été question précédemment.

113

Les cendres de savonneries sont un mélange de

chaux, de cendre de bois, de chlorure de potassium
et de matières grasses.

C'est un bon engrais dont les effets se prolongent
pendant sept à dix ans.

114

La suie des cheminées se mélange ordinairement
avec du sable dans les proportions de 1 à 5. On y
ajoute quelquefois une partie de chaux, et on forme
du tout un tas que l'on abandonne à lui-même pendant cinq à six semaines. Mieux vaut s'abstenir d'y
mêler de la chaux, qui provoque le dégagement des
gaz ammoniacaux.

Ce compost est excellent pour les prairies humides dont il active singulièrement la végétation.

115

Les boues des rues, réunies en grands tas qu'on
remue de temps à autre jusqu'à ce que toutes les substances soient en partie décomposées et réduites
en poudre, forment un bon engrais pour les prairies, dont elles amendent aussi le sol.

116

La vase des étangs et des fossés, qui est composée
d'un nombre considérable d'éléments hétérogènes
tant organiques qu'inorganiques, étant recueillie
en tas et remuée à l'approche des gelées, afin
d'en opérer la désagrégation, constitue un engrais très-puissant que le praticulteur ne peut
négliger.

On améliore encore ce compost en y ajoutant
une certaine quantité de chaux ; il est surtout utile

pour les prairies sablonneuses et légères et pour
celles qui se trouvent dans des conditions opposées.

117

Les composts proprement dits sont composés de
débris d'animaux, de tan, de mauvaises herbes,
de boues de rues, de cendres, de chaux, stratifiés
et alternant les uns avec les autres; on en forme
de grands tas qu'on remanie une ou deux fois. On
favorise la décomposition des diverses matières en
les arrosant avec du purin ou avec de vieilles lessives.

Ce compost se fait, selon les besoins, léger ou
compacte. S'il est destiné à une prairie argileuse
ou glaiseuse, la base sera sablonneuse ou calcaire;
s'il doit être appliqué sur une prairie sablonneuse,
elle sera glaiseuse ou argileuse.

118

Dans toute prairie nouvellement établie, il pousse
plus ou moins de mauvaises herbes. On les arrache
dans les champs, pourquoi ne les extirperait-on
pas dans les prés? Les plantes adventices sont, en
effet, aussi nuisibles aux récoltes de foin ou d'herbes
qu'à toute autre moisson. Qu'on n'hésite donc pas à
en débarrasser les prés, et on s'en trouvera bien;
car les mauvaises herbes dont la végétation est vigoureuse ont une valeur nutritive inférieure à celle
des herbes fourragères, et peuvent, en outre, porter
atteinte à la santé du bétail.

119

La surface des prairies doit être tenue plane,
uniforme. Les taupinières que l'on voit particulièrement en grand nombre dans les prairies grasses,

où les taupes trouvent toujours une nourriture succulente, doivent être éparpillées ; mais cette égali-
sation n'est que momentanée : il faut couper le mal
dans sa racine, et cela n'est guère chose facile.

120

On prend les taupes à l'aide de pincettes, ou on
les empoisonne en saupoudrant des harengs-saurs
coupés en morceaux, ou de la chair séchée, avec une
certaine quantité de poudre fraîche de noix vomique;
mais la loi sur l'art de guérir défend aux pharma-
ciens et droguistes la vente de cette substance émi-
nemment toxique.

Les fumigations sulfureuses dans les galeries
sont le plus sûr moyen de détruire les taupes, et il
serait à désirer qu'on y eût généralement recours.

121

Lors de l'établissement de la prairie, on a, selon
la nécessité, creusé un plus ou moins grand nombre
de fossés ou de rigoles ordinaires, ou de rigoles
d'irrigation. On doit les entretenir; car, en les
négligeant, le praticulteur se fait un tort sensible.

122

Les prairies situées entre des terres en culture
donnent souvent les meilleurs produits. Il importe
que le praticulteur ne néglige pas de recueillir par
des rigoles faites avec intelligence, les engrais dissous et entraînés par les eaux pluviales, surtout
au printemps, en automne et en hiver.

123

L'irrigation se fait par infiltration ou par submersion.

Le premier mode est propre aux pays plats et à ceux qui n'ont que des eaux pluviales.

Le second mode consiste à faire couler sur le sol enherbé une couche d'eau qu'on y laisse séjourner pendant un temps plus ou moins long. La couche d'eau doit être d'autant plus épaisse que le climat est plus humide et froid et le sol plus pauvre; car ici ce n'est pas à titre de rafraîchissement qu'on irrigue, mais pour fixer dans l'herbe les matières fertilisantes que l'eau tient en suspension.

Dans les bonnes terres, on inonde les prairies avant l'hiver, au printemps et à la coupe du foin.

En Campine, l'eau des irrigations, en général, séjourne ou coule sur les prairies pendant la plus grande partie de l'année. L'irrigation commence dès qu'on n'a plus de gelée à craindre jusqu'en avril, époque à laquelle on laisse la prairie se ressuyer pour y répandre un engrais pulvérulent : on continue l'irrigation trois à quatre semaines après, jusqu'à l'approche de la fauchaison. Le fauchage du foin ayant eu lieu, on recommence l'irrigation jusqu'au fauchage du regain; après quoi l'eau recouvre de nouveau le pré jusqu'à l'approche des gelées.

Les sables campinois transformés en prairies et exploités de cette façon, ne peuvent promettre des résultats productifs et durables; ils finiront par s'appauvrir, si on ne tourne ses regards vers l'amendement du sol par la chaux et l'argile combinés à des matières humeuses que les engrais de ferme seuls peuvent fournir; et, à défaut des matières humeuses précitées, on s'assurera au moins des

succès plus certains par le pâturage en été et la
stabulation du bétail en hiver, que par le système
adopté en Campine.

Elle nous en fournit déjà plus d'un exemple.

124

Si les fossés et les rigoles, au lieu de faciliter
l'écoulement des eaux, les retiennent, à moins que
la nécessité n'en soit reconnue dans certaines situa-
tions, elles occasionnent le refroidissement du sol
et provoquent le dépérissement des bonnes herbes.

125

En éloignant des prairies l'excédant d'eau, on
est sûr d'obtenir des effets remarquables des engrais
employés.

126

Les irrigations, si on peut les pratiquer, ont lieu
au printemps, après la coupe du foin et à l'entrée
de l'hiver.

127

En nettoyant tous les ans les fossés et les rigoles,
on se crée des engrais qui ne sont pas à dédaigner.

128

Au lieu de déposer sur les bords des fossés, la
vase provenant du curage, ce qui peut nuire, du
reste, à l'écoulement des eaux, il faut en faire des
tas de distance en distance. On les éparpille ensuite quand ils sont secs.

129

Les berges et talus des prairies qui longent les rivières et les ruisseaux doivent être consolidés et raffermis.

130

A cet effet, on se trouve bien d'une haie d'osier à feuilles de romarin, dont on entrelace les branches en tous sens.

131

Des agronomes distingués ont écrit que les hersages sont nuisibles aux prairies.

132

L'expérience raisonnée a démontré que ce jugement est faux dans plus d'une circonstance. En effet, les hersages sont utiles au plus haut degré dans les prairies à fond argileux ou glaiseux où pullulent les mousses, et dans les prairies tourbeuses où croissent ordinairement beaucoup de plantes adventices que les dents de la herse peuvent arracher en plus ou moins grande quantité. Dans ce cas, il est encore plus avantageux de faire usage du scarificateur. Mais le moyen par excellence pour faire disparaître les mousses, s'il y a suffisamment de pente, c'est le drainage.

Les prairies sablonneuses ne peuvent pas être hersées.

133

Ce qui vient d'être dit du hersage a aussi été attribué au roulage.

134

Dans les prairies sablonneuses, tourbeuses et spongieuses, les roulages vigoureux sont indispensables : ils augmentent dans des proportions énormes le rendement.

Dans les sols compactes, les roulages ne donnent lieu qu'à la formation d'une herbe plus fine.

135

Les prairies qui sont convenablement soignées, inondées périodiquement, et engraissées, ont une durée indéfinie.

Il n'en est pas de même de celles qui ne sont pas inondées périodiquement, et qui ne reçoivent pas une fumure satisfaisante ; elles finissent, au bout de quelques années, par ne plus donner qu'une herbe languissante et pauvre.

136

On a deux moyens pour y remédier :

1° Si la prairie n'a pas été convenablement engraissée, et si le sol en est argileux ou humeux, l'urine et la chaux raniment presque toujours la végétation.

2° Si, au contraire, le sol est aride, sablonneux ou graveleux, on n'obtient aucun avantage par l'emploi de la chaux ; mais en répandant sur le gazon une couche de terre de 3 ou 4 centimètres d'épaisseur, ce qu'on appelle *terrement*, non-seulement on ranime la végétation de l'herbe, mais on détruit encore les petites plantes adventices.

137

S'il se forme dans la prairie des endroits où les

eaux restent stagnantes par suite de l'affaissement du sol, il faut y remédier en égalisant le terrain.

138

Le semis, amenant un retard trop considérable dans la productivité de la place exhaussée, on a recours à l'inoculation du gazon, opération qui consiste à soulever et à détacher avec une pelle tranchante des gazons de 4 à 7 centimètres d'épaisseur, que l'on dépose à côté sur la surface du terrain, jusqu'à ce qu'on ait comblé les excavations à la hauteur voulue, pour former un plan parfait après qu'on y aura arrangé les bandes de gazon.

139

Lorsque la prairie renferme beaucoup d'herbes nuisibles, ou que la qualité des graminées est médiocre ou mauvaise, on procède au renouvellement du gazon.

140

Si la mauvaise qualité de la prairie tient à la nature du sol ou à un degré trop fort d'humidité, il faut nécessairement recourir au drainage ou aux amendements.

141

Si la mauvaise qualité de la prairie tient à la composition du mélange des graminées et des légumineuses, on rompt la prairie et on y plante ou on y sème telle ou telle récolte, ou bien on pratique le terrement à une épaisseur de 7 à 9 centimètres. Cette épaisseur est au moins nécessaire, car en la diminuant on s'exposerait à voir les graminées vi-

vaces et robustes se développer à travers la couche
de terrement. On procède ensuite au semis.

142

Les prairies destinées à servir de pâturage
doivent être en rapport avec la nature des animaux.

143

Les prairies de nature médiocre et plus ou
moins pauvres ne conviennent qu'aux moyennes
et petites races.

144

Les prairies grasses, fertiles, admettent les meilleures et les plus grandes races.

Tout pâturage doit se diviser en enclos, de manière à fournir au bétail une nourriture en har-
monie avec ses besoins.

145

Le pâturage est plus avantageux que le fauchage
dans un climat brumeux, et lorsque le sol est
froid, humide et la population clair-semée.

146

Mais la conservation et l'amélioration des pâturages dépendent surtout, par rapport à leur fertilité,
du nombre et de l'espèce des animaux qui les par-
courent. Si l'on prend, sur un troupeau, dix bêtes
choisies parmi les grosses, les moyennes et les petites, qu'on les pèse le matin, et qu'au bout de dix
jours on les pèse de nouveau dans les mêmes circon-

stances, le pâturage sera réputé suffisant si elles
n'ont pas perdu de leur poids ; il sera bon si elles
ont gagné sensiblement ; le pâturage sera réputé
propre à l'engrais (pré d'embouche), si le gain a
été pendant ce temps de 5 kil. p. 100 du poids de
l'animal. Les anciennes coutumes réglaient le
nombre des moutons à une tête par hectare de
chaume. Ces moutons, de 28 kil. en moyenne,
consommaient l'équivalent de leur ration d'entretien de 0 kil. 47 de foin par jour, ou 568 kil. en
six mois. Quoi qu'il en soit, l'épreuve que nous
proposons indiquera la limite inférieure du nombre
de têtes de bétail à mettre sur un pâturage ; on
s'apercevra bientôt, à l'herbe négligée ou gâtée, si
le nombre est inférieur à son pouvoir nutritif.

Il n'est pas moins important de ne pas laisser le
bétail entrer sur le pâturage quand le terrain est
humide et qu'il y laisse l'empreinte de ses pas. A
part ces intervalles, on peut le livrer aux bêtes à
laine en hiver ; leur piétinement affermit le sol, leurs
déjections le fécondent, et l'herbe s'épaissit et talle
par la tonte rase qu'en fait ce bétail. Dès que la
température s'adoucit et que l'herbe commence à
repousser, il faut laisser le pâturage vacant et attendre qu'elle ait atteint une certaine hauteur pour
y mettre les bêtes à cornes.

Quand les pâturages sont étendus, on les divise
en enclos, de telle manière que le bétail les par-
coure successivement.

On associe ordinairement un cheval à dix bêtes
à cornes. Il pâture des herbes que celles-ci dé-
daignent, et surtout celles qui ont poussé près de
leurs bouses, ou ont été arrosées de leurs urines.

Les enclos doivent avoir chacun leur abreuvoir,
si le bétail doit y rester à demeure.

Dès que l'un d'entre eux a été pâturé, on fait passer le bétail dans un autre, et il revient dans le premier quand l'herbe y a repoussé, à moins que l'on ne destine la seconde herbe à faire du foin d'hiver. Dès qu'un enclos est évacué, on étend avec soin les fientes, de manière à les répandre sur toute la surface de la prairie. L'herbe ne pousse plus que l'année suivante sur les places qui ont été couvertes de ces excréments, et une bête à cornes couvre ainsi chaque jour près d'un mètre carré de surface. Avec ces soins, le pâturage s'améliorera. Si, au contraire, le nombre du bétail est excessif, il ne se borne pas à pâturer l'herbe, il la ronge jusqu'au collet, arrache même les racines et dégarnit le gazon. Il suffit d'un seul jour où une pâture ait été trop chargée, pour que la place où cette surcharge a eu lieu se reconnaisse pendant plusieurs années.

L'étendue des enclos doit être réglée de manière que le bétail reste un ou deux jours dans chacun d'eux, et il doit y revenir tous les quinze ou vingt jours au plus, selon le climat plus ou moins chaud que l'on habite; de sorte que l'animal consomme toujours de l'herbe jeune, qui se digère mieux, et qui d'ailleurs est plus azotée sous le même volume. L'herbe pourra donc être pâturée neuf à douze fois pendant la belle saison, et comme les plantes améliorantes s'assimilent d'autant plus de gaz atmosphériques qu'elles sont plus jeunes, le produit total de la prairie, quoique moindre en poids sec, est au moins égal en matières nutritives. C'est ce que démontrent les expériences de M. Boussingault et les nôtres.

Mais cette succession constante de pâturages tend à multiplier les herbes précoces et celles qui

fleurissent bas, et à faire disparaître toutes celles
qui ont une haute stature et qui fleurissent plus
tard. Si on les fauche, on n'obtient plus qu'un foin
court, et dont les secondes coupes sont dépourvues
des plantes les plus abondantes et les plus riches.
Aussi les Anglais vantent-ils l'usage de faire pâturer les prairies une année et de les faucher l'année
suivante, et de maintenir ainsi l'équilibre entre les
plantes gazonnantes et les plantes élevées.

D'autres fauchent constamment la même partie
d'une prairie, qui est celle dont le sol est le plus
humide et reçoit le plus de détriment des parcours,
et ils font pâturer la partie la plus sèche. Cette dis-
tribution se justifie suffisamment par ces circonstances locales.

D'autres enfin, quoique ayant des prairies de
trois natures, en réservent une partie pour la faux
et une autre pour le pâturage. Cette disposition nous
paraîtrait indifférente si le pâturage ne revenait
pas plus souvent que le fauchage sur le même espace de terrain ; mais si le pâturage doit revenir à
de plus courts intervalles, il y a suppression d'un
nombre de plantes propres à faire du foin, et alors
il convient, en effet, de conserver à chaque parcelle
sa spécialité et d'avoir des clos ayant exclusivement l'une ou l'autre destination (1).

147

Tout éleveur désireux de tirer le plus grand
profit de ses herbages, ne laisse pâturer son bétail
qu'au piquet : il est inutile alors de diviser la prairie en enclos.

(1) M. le comte de Gasparin.

5

148

Si l'on ne veut pas perdre un pied de prairie, on fauche les prés en temps utile et on donne le vert à l'étable : c'est la méthode de stabulation permanente qui tôt ou tard deviendra générale. C'est le moyen le plus rationnel pour éviter le gaspillage de nourriture, et, d'un autre côté, rien ne favorise autant l'engraissement que le repos.

149

Quand on ne laisse pas consommer la nourriture en vert au bétail, on doit faner l'herbe.

150

La fenaison comprend toutes les opérations à l'aide desquelles l'herbe verte est convertie en foin.

On donne le nom de foin à la première coupe et celui de regain aux coupes subséquentes.

151

Le fanage est avantageux quand il s'obtient aisément, que la main-d'œuvre est peu chère et que les pâturages et les terrains vagues enherbés abondent.

152

On procède au fauchage lorsque le plus grand nombre de graminées sont en fleurs, et aussi près de terre que faire se peut.

153

En différant le fauchage au delà de cette époque, on se fait beaucoup de tort ; car au lieu de foin on

ne récolte plus que de la paille, qui contient nota-
blement moins de matières alibiles, et on perd sur
la quantité et la qualité du regain dont la récolte
est quelquefois compromise.

154

Le fanage n'offre pas de difficultés s'il est fait
par un temps sec et chaud.

155

Le foin est d'autant meilleur qu'on en a obtenu
plus vite la dessiccation.

156

S'il survient des pluies pendant que l'herbe coupée est encore verte et fraiche, elles ne nuisent pas
à la qualité du foin ; on peut la laisser plusieurs
jours en andains. Si au contraire elle est en voie de
dessiccation, on doit la réunir en petits tas, qu'on
ouvre dès que le temps le permet pour prévenir la
fermentation.

157

On ne retourne pas trop souvent le foin pendant
les fortes chaleurs, ce qui lui porterait atteinte en
brisant les feuilles et les tiges. On attend que la
rosée l'ait rendu moite.

158

On retourne le foin au râteau, à la fourche ou au
moyen de la machine à faner.

159

A mesure que la dessiccation avance, on réunit le

soir le foin en tas plus grands, pour l'éparpiller le lendemain en couches plus épaisses, lorsque la rosée s'est essuyée, et ainsi de suite jusqu'à ce qu'il soit parfaitement sec.

160

Si le fanage est contrarié par des pluies, le praticulteur doit saisir tous les moments où le soleil se montre pour épandre le foin et le recueillir promptement en tas à l'approche des pluies.

161

Le foin sec, pour se bien conserver, doit être serré, comprimé ou foulé aussi bien que possible au fenil.

162

Le foin, conservé en meules, est sujet à plus ou moins d'inconvénients préjudiciables et donne des déchets toujours onéreux pour l'éleveur.

163

Si le temps ne permet pas d'opérer la dessiccation complète de l'herbe, on a recours à la confection du foin brun, qui est très en vogue dans quelques contrées de la Hollande, de l'Angleterre et de la Normandie.

164

Le foin brun se prépare en réunissant en grandes meules du foin à demi desséché que l'on entasse fortement. Le foin ne tarde pas à acquérir une couleur foncée et à s'échauffer tellement qu'il se transforme en une masse solide que l'on coupe par tranches. Au bout de quelque temps, la masse s'affaisse par la déperdition de l'eau, et le foin devient dur et compacte : il présente l'aspect et revêt à peu près les caractères de la tourbe.

165

Le rendement des prairies est très-varié : on obtient à l'hectare de 5,000 à 12,500 kil. de foin et plus.

166

En général, l'herbe des prairies perd par la dessiccation de 50 à 75 p. c. de son poids.

167

Le bon foin doit présenter des tiges fines, flexibles et garnies de feuilles ; être d'un vert tirant sur le bleu et avoir un goût douceâtre et une odeur agréable qui approche, à un degré plus ou moins prononcé, de celle de l'odeur de la fève de Tonka, de la flouve odorante ou du mélilot. Il sera exempt de mauvaises herbes.

168

Le foin des bonnes prairies conserve mieux et plus longtemps sa couleur verte que celui de qualité médiocre ou mauvaise.

169

Le foin qui a un aspect grossier, une couleur vert-grisâtre et qui n'a presque pas d'odeur, est de qualité médiocre ; les mauvaises herbes qu'on y trouve abaissent encore sa qualité.

170

Le foin qui a une couleur vert-jaunâtre, jaunâtre, ou gris-fauve, et une odeur de moisi ou piquante, doit être répudié comme mauvais; il est ordinairement cassant et rempli de poussière.

171

Le bon foin, qui est rentré en temps utile et bien tassé au fenil, subit un certain degré de fermentation, qui, tout en lui faisant perdre sa belle couleur, ne lui ôte rien de sa valeur, car il en devient plus savoureux pour le bétail.

Des prairies temporaires.

172

Dans cette division viennent se ranger tous les terrains emblavés de graminées seules ou de mélanges de graminées et de quelques autres plantes fourragères, telles que quelques espèces de trèfle, de luzerne, de sainfoin et d'ombellifères, telles que le carum carvi, etc., qui est une plante plutôt médicinale que fourragère, mais qui jouit de propriétés carminatives qui atténuent les inconvénients que présentent les trèfles, etc.

173

Les prairies temporaires rentrent dans le système de la culture alterne.

174

Leur durée varie de 2 à 5 ans, rarement plus.

175

Dans l'établissement de ce genre de prairies, on doit, comme pour les autres, considérer la nature du sol et toutes les opérations auxquelles il faut le soumettre, et qui sont du ressort de la culture générale, sans oublier les engrais qu'il exige pour obtenir un rendement rémunérateur. Il reste ensuite à faire un choix judicieux et en rapport avec la nature du sol, sa situation et son exposition, de graines de diverses plantes fourragères dont la croissance est rapide, qui se succèdent sans interruption et fournissent au bétail une nourriture abondante, substantielle et savoureuse.

176

En Angleterre, presque toutes les prairies temporaires sont fauchées et fanées.

177

En Belgique, en France et en Allemagne, la plupart des prairies temporaires sont consommées par le bétail à l'état frais.

178

Dans les terres de bonne nature argilo-sablonneuse, on peut semer divers mélanges plus ou moins complexes.

On peut prendre :

> Ivraie d'Italie.
> Fléole des prés.
> Dactyle gloméré.
> Arrhénathère fausse avoine.
> Houque laineuse.
> Trèfle des prés.

Moitié graines de graminées et moitié graines de trèfle, à raison de 30 kil. à l'hectare. En Belgique, on ne prend qu'un dixième de semence de trèfle et neuf dixièmes de semence d'herbes.

L'expérience s'est prononcée en Belgique sur la valeur incontestable de ce mélange.

Ou bien :

> Ivraie d'Italie.
> — vivace.
> Fétuque durette.
> — des prés.
> Paturin trivial.
> Dactyle gloméré.
> Arrhénathère fausse avoine.
> Fléole des prés.
> Trèfle des prés.
> — rampant.
> — moyen.
> Luzerne lupuline.

On prend de 40 à 50 kilogrammes de semence, dont moitié trèfle et moitié herbes, ou bien 2/3 trèfle et 1/3 d'herbes, selon les qualités du sol. Ce mélange est généralement adopté en Angleterre : on a soin de fumer au printemps avec des composts substantiels.

En Allemagne, on recommande dans les sols de moyenne fertilité :

> Ivraie vivace.
> — d'Italie.
> Fétuque durette.
> — des prés.
> Dactyle gloméré.
> Arrhénathère fausse avoine.

Houque laineuse.
Fléole des prés.
Trèfle des prés.
— rampant.
Luzerne lupuline.

Dans les sols très-riches, on y ajoute le vulpin des prés; si le sol est plus léger le brome mou et la fétuque ovine; et s'il est, en outre, destiné au pâturage des moutons, on y mêle de l'achillée millefeuille.

Une observation à laquelle les Allemands attachent une grande importance, c'est de faire prédominer dans les sols argilo-sablonneux fertiles le dactyle gloméré et la fétuque des prés; tandis que dans les sols plus légers ils accordent la préférence à l'arrhénathère fausse avoine, à la houque laineuse, à l'ivraie vivace et à l'ivraie d'Italie.

179

Dans certaines circonstances dont l'examen est du ressort de l'économie rurale, au lieu de faire des mélanges comme ceux qui précèdent, on sème quelques graminées seules ou un mélange peu complexe.

180

Parmi les graminées annuelles ou bisannuelles, on cultive :

1° En terres de bruyère, humides, maigres :

L'ivraié rieffel.

2° En sables argileux, rudes et cailloux, secs en été, très-humides en hiver :

L'ivraie, variété sub-mutique.

La première coupe de ces espèces se fane ou se donne en vert ; le regain, peu abondant, est pâturé.

5° En terrains montagneux secs, pauvres ou peu fertiles :

L'avoine courte.

4° En terrains fertiles, argilo-sablonneux, sablonneux ou marneux :

L'orge vulgaire d'hiver.

5° En terrains sablonneux ou loameux :

Seigle multicaule.

Ces deux espèces ne fournissent qu'une coupe, après laquelle le sol produit encore, la même année, d'autres récoltes, à moins qu'elles ne servent à abriter les jeunes plantes d'une prairie nouvellement créée.

6° En terrains loameux chauds :

Le maïs cultivé.

Toutes ces espèces, sauf le maïs, se mêlent souvent avec quelques plantes fourragères légumineuses.

181

Parmi les espèces vivaces, on peut semer isolément chacune des graminées suivantes, selon les indications données à chaque article spécial ; mais ni la théorie ni la pratique ne sauraient toujours sanctionner ce semis.

a. Orge bulbeuse.
b. Ivraie vivace.
c. — d'Italie.

d. Glycérie élevée.

e. Arrhénathère fausse avoine.

f. Flouve odorante.

g. Fléole des prés.

h. Vulpin des prés.

i. Fétuque roseau.

182

La semence des graminées que l'on trouve généralement dans le commerce, quoique infiniment préférable au fond des fenils où abondent les graines des graminées précoces et de plantes nuisibles ou inutiles, n'est pas pure de tout mélange et de première qualité. On ne pourra l'obtenir que lorsque les producteurs se décideront à la recueillir sur les pieds bien venus de panicule à panicule et d'épi à épi. Cela ne deviendrait praticable qu'en affectant des terrains à la culture isolée de chacune des espèces dont on attend la maturité complète avant d'en faire la récolte.

183

En agissant de la sorte, et en changeant de sol et d'exposition, le praticulteur ne conservera pas seulement la variété avec toutes ses qualités, mais il l'améliorera d'une manière sensible au bout de quelques générations, et il aura la certitude de ne pas infester sa prairie de mauvaises herbes.

184

C'est ce qui se fait en Angleterre à l'égard de certaines espèces qui y sont cultivées sur une grande échelle. Elles donnent un rendement double, comparées à celles provenant de graines ordinaires. C'est aux

graines anglaises qu'il importe, dans l'intérêt de la
production, d'accorder la préférence.

185

L'évaluation des fourrages a été l'objet de beaucoup de recherches ; le dernier mot n'est pas encore
dit sur ce point.

Les uns basent leur système d'évaluation sur la
quantité des matières extractives y contenues ; c'est
le système qui est admis en Angleterre.

En Allemagne et en France, on donne à un fourrage une valeur nutritive d'autant plus grande qu'il
contient plus de matières azotées.

Comme c'est une question que l'expérience n'a
pas encore tranchée, on mettra, dans la description
des espèces, en regard l'un de l'autre, le chiffre de
matières nutritives et celui de l'azote contenu dans
cent parties de fourrage.

Le praticien, pas plus que le savant, ne peut le
considérer que comme approximatif, et le savant
lui-même doit convenir que ses analyses ne sont
pas toujours l'expression de la rigoureuse vérité
pratique révélée par l'élevage du bétail, quoiqu'elles
en approchent le plus souvent quand on prend l'a-
zote pour point de départ.

La considération du chiffre des matières nutritives
ou solubles dans l'eau mérite moins de confiance.
L'expérience la dément souvent et la théorie se refuse à assimiler la digestion à une simple infusion
qui se bornerait à extraire les matières solubles
contenues dans les aliments ingérés. Le physiolo-
giste ne saurait l'admettre ; car tous les individus
d'une même espèce n'ont pas les mêmes aptitudes
élaboratrices ; d'où ressort naturellement que la
digestion et, par conséquent, l'assimilation des ma-

tières, dites nutritives par Sainclair, ne peut pas
être déterminée *à priori* par voie d'infusion dans
l'eau. Mais la physiologie et les expériences directes
démontrent que la propriété nutritive des aliments
est d'autant plus grande que les substances alimentaires sont plus animalisées, c'est-à-dire plus azotées, et que celles-ci sont d'autant plus favorables à
l'engraissement et à la formation des éléments bu-
tyreux, qu'elles contiennent plus de substances
grasses. Une bête à l'engrais et une bête laitière
soumises au même régime élaborent diversement
leur nourriture; c'est ce qui appert d'un mémoire
des savants Dumas et Boussingault, auquel nous
empruntons les observations suivantes :

« D'après M. Riedesel, une vache pesant 600
kilogrammes exigerait 10 kilogrammes de foin sec
pour sa ration d'entretien. A ce régime, elle ne
pourrait donc produire du lait sans maigrir.

« Mais à chaque kilogramme de foin qu'elle
mange par delà les 10 kilogrammes d'entretien,
elle fournit un litre de lait; de telle sorte qu'en
mangeant 20 kilogrammes de foin, une telle vache
pourrait fournir 10 litres de lait. »

Ces résultats s'accordent avec nos propres renseignements, mais ils exigent une autre interprétation.

Ainsi, l'on aurait tort d'admettre, selon nous,
qu'une vache puisse extraire 10 litres de lait de
10 kilogrammes de foin.

Cela nous paraît impossible, par la raison que
10 litres de lait contiennent 0,570 grammes de
beurre, et que 10 kilogrammes de foin sec ne ren-
ferment que 0,187 grammes de matière grasse.

Aussi, n'est-ce pas ainsi que les choses se passent.
Quand une vache mange seulement 10 kilogrammes
de foin sec, elle consomme tous les produits qu'elle

peut extraire, qu'ils soient azotés, gras ou sucrés.
Mais vient-on à lui fournir 20 kilogrammes de foin
sec, elle y trouvera des produits sucrés ou des
produits analogues en quantité presque suffisante
à sa ration journalière, et rien ne l'empêchera de
mettre en réserve, sous forme de lait, une portion
de ces produits sucrés, une portion des matières
azotées et la presque totalité de la matière grasse.

On sait, au surplus, que, dès que la vache engraisse, sa ration restant la même, le lait diminue
en proportion de l'accroissement de poids de l'animal, et dans un rapport que nous allons bientôt
préciser.

Comme tous les animaux, la vache a besoin de
produire par jour une quantité donnée de chaleur,
et elle la développe certainement au moyen des
produits solubles que son sang renferme, avant
d'attaquer les produits insolubles, tels que les corps
gras neutres que le chyle y verse sans cesse.

Ainsi, à la faible ration de 10 kilogrammes, une
vache consomme tout ce qu'elle absorbe ; vient-elle
à manger 20 kilogrammes, elle fait un triage, con-
sommant certains produits, réservant les autres,
et dès lors elle trouve les 0,570 grammes de beurre
que son lait renferme, dans le foin qu'elle a reçu,
et où l'analyse indique, en effet, au moins
0,570 grammes et même 0,400 grammes de matières grasses.

Si nous essayons de passer maintenant aux phé-
nomènes de l'engraissement des animaux, nous
allons retrouver une application tellement exacte
des principes que nous avons posés, que s'il reste
quelques circonstances à éclaircir, nous espérons
qu'elles ne tarderont point à l'être par les agriculteurs, qui s'empresseront de se livrer aux expé-

riences nécessaires pour contrôler des vues qui ont tant d'intérêt pour eux.

En partant des nombres résultant des expériences de M. Riedesel, qui s'accordent, du reste, en quelques points avec les renseignements que nous avons pu nous procurer par nous-mêmes, on arrive aux résultats suivants :

D'après M. Riedesel, on trouverait qu'un bœuf pesant 600 kilogrammes conserve son poids quand il mange 10 kilogrammes de foin sec par jour. A l'engrais, le même bœuf exigerait, pour la nourriture complète, 20 kilogrammes de foin sec par jour, et il pourrait gagner 1 kilogramme en poids sous l'influence d'un tel régime.

Tout en considérant les expériences de M. Riedesel comme présentant des résultats trop favorables, comme donnant le maximum du pouvoir nutritif du foin ou de ses équivalents, nous admettons, avec cet agriculteur, que 10 kilogrammes de foin peuvent produire environ 10 litres de lait, ou bien à peu près 1 kilogramme de bœuf; reste à savoir ce que c'est que 1 kilogramme d'augmentation dans le poids d'un bœuf.

Or, voici comment on peut concevoir que ce kilogramme se dédouble. En admettant que la matière grasse du foin soit fixée par l'animal, de même qu'elle passe dans le lait de la vache, on trouve que le bœuf a reçu 0,570 grammes de graisse environ. Reste donc 650 grammes de viande humide qui doit renfermer 160 grammes de viande sèche.

D'où il suit que le bœuf qui s'engraisse, en supposant même qu'il puisse fixer dans ses tissus toute la substance grasse du foin qu'il mange, ne retire pourtant de sa nourriture que la moitié, au plus, de la matière azotée qui en serait extraite par la

vache sous forme de lait, et qu'il perd la totalité du
produit alimentaire que la vache convertit en sucre
de lait.

Il n'est même pas nécessaire de recourir à cette
discussion pour montrer à quel point la différence
est grande entre la vache et le bœuf sous le point
de vue du parti qu'ils tirent, au profit de l'homme,
de l'aliment qu'ils ont reçu. En effet, dans cet
exemple, que nous empruntons à M. Riedesel pour
fixer les idées, la vache qui a consommé 10 kilogrammes de foin au delà de sa ration d'entretien,
fournit 10 litres de lait, qui représentent 1,400
grammes de matière sèche, tandis que le bœuf n'a
augmenté que de 1 kilogramme avec la même alimentation, et dans ce kilogramme, la part de l'eau,
fixée dans les tissus de l'animal, doit certainement
figurer pour la moitié; d'où il suit qu'il y aurait
exagération à supposer que le bœuf eût fixé 500
grammes de matière sèche en se nourrissant avec
l'aliment qui en a fourni 1,400 grammes au lait de
la vache.

La vache laitière retire donc, au profit de
l'homme, du même pâturage, une quantité de matière alimentaire qui peut dépasser le double de
celle qu'en extrairait un bœuf à l'engrais. On voit
donc que tout ce qui tend à établir le commerce du
lait sur des bases propres à inspirer la confiance et
à la mériter, serait digne au plus haut degré de
l'attention d'une administration intelligente.

En résumé, nous trouvons par l'expérience que
le foin renferme plus de matière grasse que le lait
qu'il sert à former ; qu'il en est de même des autres
régimes auxquels on soumet les vaches ou les
ânesses.

Que les tourteaux de graines oléagineuses aug-

mentent la production du beurre, mais parfois le
rendent plus liquide, et peuvent lui donner le goût
d'huile de graines lorsque cet aliment entre en trop
forte quantité dans la ration.

Que le maïs jouit d'un pouvoir engraissant déter-
miné par l'huile abondante qu'il renferme.

Qu'il existe la plus parfaite analogie entre la
production du lait et l'engraissement des animaux,
ainsi que l'avaient pressenti les éleveurs.

Que le bœuf à l'engrais utilise pourtant moins de
matière grasse ou azotée que la vache laitière; que
celle-ci, sous le rapport économique, mérite de
beaucoup la préférence, s'il s'agit de transformer
un pâturage en produits utiles à l'homme.

Que la pomme de terre, la betterave, la carotte,
ne peuvent engraisser les animaux qu'autant qu'on
les associe à des produits renfermant des corps gras,
comme les pailles, les graines des céréales, le son
et les tourteaux de graines oléagineuses.

Qu'à poids égal, le gluten mêlé à la fécule et
la viande riche en graisse produisent un engraissement qui, pour le porc, diffère dans le rapport de
un à deux.

Le savant se base sur ses chiffres analytiques,
le praticien, lui, n'a pour désigner la qualité plus
ou moins bonne, avouée et reconnue par l'éleveur,
que le mot : bon ou mauvais fourrage. C'est une
notion que nous ne perdrons pas de vue.

DESCRIPTION

HERBES DES PRAIRIES.

Tribu des Maïdées.

CARACTÈRES. — Locustes disposées en épis unisexuels monoïques; les épis mâles disposés en une panicule terminale; les épis femelles axillaires étroitement renfermés dans des bractées engaînantes.

Fig. 1.
Maïs cultivé

Maïs.

Caractères génériques. — Locustes mâles, géminées, pédicellées. Épis femelles à styles pendants et dépassant longuement les bractées engainantes : ovaire à 1 style indivis.

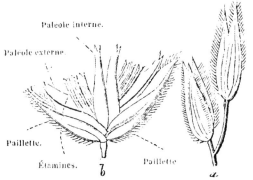

Paleole interne.
Paleole externe.
Paillette.
Étamines. *b*
Paillette *a*

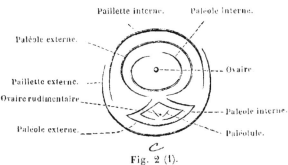

Paillette interne. Paleole interne.
Paléole externe.
Paillette externe.
Ovaire rudimentaire
Paleole externe.
Ovaire
Paleole interne.
Paléolule.

c

Fig. 2 (1).

MAÏS CULTIVÉ (MAÏS SATIVA TOURNEF).

(Flam. *Spaensche tarwe;* Angl. *Indian ou Turkey corn;* Allem. *Maïs ou turkischer Weizen.*)

Caractères spécifiques. — Feuilles entières. Fleurit avec 5015° (2) de chaleur.

Le maïs est une graminée originaire des pro-

(1) *a* Locustes géminées mâles. *b.* Locuste mâle qui fait voir les principaux caractères. *c.* Diagramme de la locuste femelle.
(2) On n'a compté les degrés de chaleur que depuis le moment où la température s'est élevée au-dessus de huit degrés.

vinces méridionales de l'Amérique du Sud. L'illustre botaniste Auguste de Saint-Hilaire, récemment enlevé à la science, a trouvé le maïs très-abondant à l'état sauvage dans la province de Paraguay.

Il affectionne les climats chauds et humides.

Le maïs cultivé a donné lieu à un grand nombre de races et de variétés. Ce sont les grandes variétés qu'il convient de cultiver comme graminée fourragère : on peut signaler comme propres à cet usage, le *maïs commun jaune*, le *maïs de Pensylvanie*, le *maïs de Virginie* et le *maïs à perle*, dont les tiges, plus ou moins rameuses, s'élèvent de deux à trois mètres de haut dans les sols doux, argilo-sablonneux, humeux, meubles et frais, profonds et substantiels.

Le maïs ne prospère pas dans les terres fortes et glaiseuses, et dans celles qui pèchent par un excès contraire. C'est ainsi que les sols où le sable prédomine ne donnent jamais qu'une récolte peu abondante.

On sème le maïs à la volée ou au semoir en ligne, à la distance de 7 centimètres.

Tous les bestiaux mangent ce fourrage vert avec plaisir, et, d'après Lecoq, c'est un des meilleurs aliments qu'on puisse leur donner.

Un champ de maïs ensemencé dru pour fourrage vert, dit Yvart, fauché au moment où la panicule paraît, présente la prairie la plus élevée, la plus abondante et la plus nourrissante qu'il soit possible de voir, et devient, pendant une grande partie de l'été, une des principales nourritures des chevaux de labour; mais pour qu'ils le mangent bien, les veaux principalement, qui en sont avides, ainsi que les autres bestiaux, il faut nécessairement qu'il soit semé bien dru, et que l'herbe en soit fauchée de bonne heure, ou broyée un peu lorsque les tiges en sont durcies. On pourrait aussi convertir cette herbe en fourrage sec pour l'hiver; mais l'épaisseur des tiges en rend le fanage long et très-difficile, et il est toujours plus avantageux de la consommer en vert.

Des expériences faites avec tous les soins que comporte le sujet et comme le savant comte de Gasparin sait en faire, ont démontré que ce fourrage ne peut remplacer la nourriture au trèfle, par exemple, qu'en en doublant la dose. Or, les vaches qui se nourrissent à discrétion de maïs frais perdent de leur lait, ce qui prouve que cette nourriture n'est pas suffisante, parce que les principes nutritifs sont dispersés sur une trop grande masse. On parvient à donner à l'animal une nourriture aussi riche que celle contenue dans 15 kilog. de foin dosant 0^k,157 d'azote, en composant la ration ainsi qu'il suit :

10 kilog. de foin de maïs ou son équivalent en vert à 0,078
5^k,9 de trèfle sec 0,080
                                        ———
                                        0,158

Il faut donc, pour les animaux qui travaillent ou qui produisent, comme pour toutes les nourritures vertes, l'associer avec un tiers de ration de fourrage sec plus riche que ceux-ci. On pourrait remplacer ici les 5^k,9 de trèfle par 4^k,8 de grain de maïs, ou par 4^k,6 d'avoine.

D'après les calculs de Boniface, un hectare de maïs pourrait donner 40,000 kilog. de fourrage vert et 15,000 kilog. de foin.

D'après le comte de Gasparin, le produit d'un hectare de maïs s'élèverait à 26,467 kil. de fourrage sec.

Le maïs fauché en fleur et desséché a pour
teneur 0,665 p. c. d'azote.

Tribu des Triticacées.

Locustes sessiles ou subsessiles, disposées en épi simple,
correspondant sur une ou sur deux faces presque opposées à
des dépressions du rachis bien marquées.

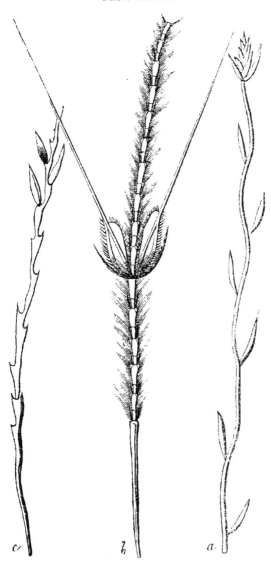

Fig. 5 (1).

Orge.

Caractères génériques. — Locustes contenant un fleuron fertile, groupées par trois sur les dents de l'axe.

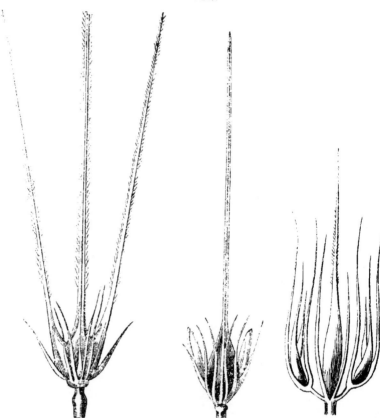

Fig. 4.

Groupe de locustes fertiles de l'orge vulgaire.   Id. de l'orge distique.   Id. de l'orge des prés.

ORGE DES PRÉS (HORDEUM PRATENSE HUDS.).

(Flam. *Veldgerst.* Angl. *Meadow Barley.* Allem. *Wiesen Gerste.*)

Caractères spécifiques. — Locustes à fleurons tous aristés, à pail-

lettes sétacées, scabres, non ciliées. Vivace. Fleurit avec 2098° de
chaleur.

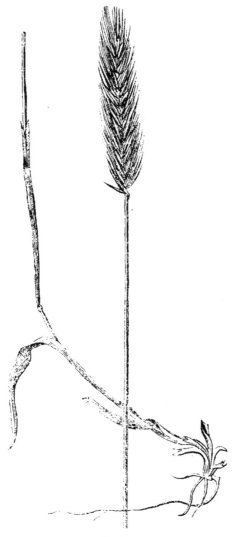

Fig. 5.

Cette espèce, indigène en Europe, en Asie et en Amérique, est très-commune dans les prés exposés aux débordements des rivières et dans les prés frais à sols loameux.

Elle aime un sol frais et substantiel. On ne peut ajouter foi aux assertions de certains auteurs allemands qui l'ont très-probablement confondue avec une autre espèce, avec l'orge maritime, par exemple, en l'indiquant sur les terrains élevés. L'orge des prés, au contraire, craint la sécheresse et ne vient jamais bien dans les sols calcaires.

Elle convient, à cause de sa précocité, dans les prés qui sont destinés à être pâturés; dans les prairies à faucher, elle ne peut tout au plus servir qu'à garnir le fond.

Quoiqu'elle soit considérée comme une herbe très-nutritive, elle peut cependant être remplacée par d'autres espèces plus productives qui suppléent par leur quantité aux qualités alibiles de l'orge.

Comme toutes ses congénères munies de barbes, l'orge doit être pâturée ou fauchée de bonne heure avant le durcissement des arêtes, à cause des denticules qu'elles présentent; sinon elles s'arrêtent sous la langue du bétail et le font beaucoup souffrir. Il s'en montre très-friand.

En Angleterre et en Allemagne, l'orge des prés concourt avec l'avoine jaunâtre et le sainfoin à la formation de prairies temporaires pour le pâturage des moutons : il paraît que ce mélange est très-favorable à la production d'une laine fine et d'une viande excellente.

On peut en obtenir à l'hectare :

A l'époque de la floraison : en vert, 8085 kilog.; en foin, 3675 kil., contenant 469 kil. de matières nutritives et 1.56 d'azote.

A la maturité du grain : en vert, 11949 kilog.; en foin, 5,982, contenant 0.469 de matières nutritives pour 10000 parties.

On emploie de 50 à 60 kilog. de semence à l'hectare.

ORGE DES SOURIS (HORDEUM MURINUM L.).

(Flam. *Muizegerst*; Angl. *Wall Barley*; Allem. *Mause Gerste*.)

Caractères spécifiques. — Locustes à fleurons tous aristés; les latérales de chaque groupe mâles, à paillettes sétacées; la médiane à paillettes linéaires, lancéolées. Annuelle. Fleurit avec 2160° de chaleur.

On ne mentionne ici cette espèce que parce qu'elle est très-commune sur le bord des prés : les moutons, les chèvres et les chevaux la mangent avec plaisir, tandis que les vaches ne l'aiment guère, si ce n'est avant le développement de l'épi.

ORGE BULBEUSE (HORDEUM BULBOSUM L.).

(Flam. *Knol gerst*; Angl. *Bulbous Barley*; Allem. *Zwiebel gerste*.)

Caractères spécifiques. — Locustes latérales mutiques; souche bulbeuse. Vivace. Fleurit avec 2150° de chaleur.

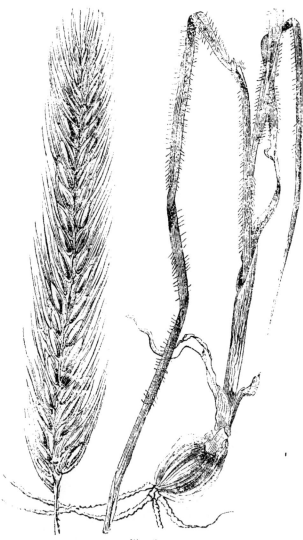

Fig. 6.
Orge bulbeuse.

L'orge bulbeuse, indigène en Europe et dans l'Afrique septentrionale, préfère les terrains argilo-sablonneux, fertiles et profonds, quoiqu'elle ne se refuse pas de croître et de prendre un grand développement dans les terres argileuses, glaiseuses et sablonneuses, pourvu qu'on ne soit pas parcimonieux d'engrais à son égard.

Dans de bonnes conditions de culture, l'orge bulbeuse donne un grand produit à une époque où les fourrages sont encore peu abondants et même rares; dès la mi-mai, on peut déjà y mettre la faux, et si elle doit être mangée sur pied, le bétail peut y mettre la dent avant cette date.

Elle donne 40,000 kilog. de vert et 9,555 kilog. de foin.

ORGE VULGAIRE D'HIVER (HORDEUM VULGARE L.)

(Flam. *Winter gerst*; Angl. *Green Barley*; Allem. *Gemeine gerste.*)

Caractères spécifiques. — Épi plus ou moins courbé; locustes toutes fertiles, disposées sur six rangs dont deux rangs latéraux inégalement distants, plus rapprochés, et deux opposés, plus proéminents. Ann. ou bisann. Fleurit avec 1,250° de chaleur.

L'orge vulgaire, indigène en Sicile et en Tartarie. demande pour prospérer un sol argilo-sablonneux ou sablo-argileux fertile et profond.

Cette espèce, qu'on sème avant l'hiver et dont le développement est assez rapide pour qu'on en obtienne au printemps une récolte de fourrage des plus succulents, est recherchée par tous les bestiaux.

Elle exerce une influence salutaire sur la sécrétion laiteuse qui gagne considérablement en quantité et en qualité; tous les jeunes animaux s'en trouvent bien, de même que ceux qui sont échauffés par les fatigues.

Ces propriétés sont connues depuis des siècles ;
elles nous ont été transmises par l'illustre Olivier
de Serres, qui s'exprime en ces termes :

« Avec le seul orge chevalin ou d'hiver, faict-on
aussi de bon farrage. On sème cet orge quand et
en semblable temps que l'autre farrage, et de même
le bestail le paict en campagne durant l'hiver. Si
de ce l'on veut abstenir, gardé jusques au printemps ; cet orge est fauché ou moissonné en herbe,
mais petit à petit, pour de jour à autre le faire
manger aux chevaux dont profitablement ils se
purgent, de là prenant le commencement de leur
graisse. Tout autre bétail, gros et menu, s'en porte
aussi très-bien, si on le paict modérément de cette
herbe, car de leur en donner à discrétion serait en
danger de s'en trouver mal, car trop de replection,
tant abondante est-elle en substance. Couppé à la
fois cest orge, en herbe, seché et serré au grenier,
comme l'autre foin, est aussi bonne viande pour
tout bestail en hiver ; et avenant que la couppe en
soit tost faicte, comme sur la fin d'avril ou commencement de maix, le reject de ses racines, conservé, produira gaillardement nouvelle herbe et de
grain avec, le temps n'estant extraordinairement
chaud. »

La paille peut aussi servir comme fourrage très-
médiocre, à moins qu'elle n'ait été récoltée sur un
terrain élevé et chaud ; dans tous les cas, la paille
d'avoine lui est préférable : un hectare en produit
de 1,600 à 1,900 kilog.

Seigle.

Caractères génériques. — Locustes bi-triflores, solitaires sur les
dents du rachis auquel elles présentent l'une de leurs faces latérales,
paillettes linéaires, subulées.

Fig. 7.

Locuste de seigle cultivé biflore.   Id. triflore.

SEIGLE CULTIVÉ (SECALE CEREALE L.)

(Flam. *Rogge*; Angl. *Corn*; Allem. *Gemeiner Rogge.*)

Caractères spécifiques. — Épi non fragile; paillettes et arêtes scabres. Ann. ou bisann. Fleurit avec 1260° de chaleur.

Le seigle cultivé, indigène au Caucase et dans les déserts caspiens, aime un sol profond, meuble,

sablonneux ou loameux ; il ne réussit pas si bien
dans les terres fortes, froides et compactes.

Le seigle cultivé, variété dite de Russie, a été
vivement recommandé dans ces derniers temps,
comme donnant deux ou trois coupes de fourrage
la première année, et, par conséquent, comme
étant plus productif qu'aucune autre graminée
fourragère. Sans entrer dans des développements
sur cette théorie, il nous semble, ainsi qu'Oscar
Leclerq l'a très-judicieusement fait observer, que
le semis en juin, qui a été préconisé par M. Lecocq, ne pourrait avoir lieu sans mettre à sa charge
la rente entière de l'année, puisque aucune récolte de
plantes sarclées n'a encore été faite à cette époque,
ce qui ne serait nullement avantageux. Aussi,
d'après quelques expériences que nous avons faites,
nous rangeons-nous de l'avis de M. de Gasparin
« quand il dit que le maïs-fourrage lui est bien supérieur ; mais, continue-t-il, ce seigle, comme le
seigle d'hiver, et mieux que lui sans doute, peut
offrir des ressources au printemps par la précocité
de sa pousse : il donne mieux que toute autre plante
un fourrage abondant et précieux dans cette saison.»

Les dernières expériences qui ont été faites en
Angleterre et répétées récemment en Belgique, ont
démontré que le seigle est un peu moins nutritif
que l'orge et moins bon fourrage qu'elle pour les
vaches laitières, les chèvres et les moutons. C'est
ce que les herbagers savent depuis longtemps.

Le rendement du seigle vert varie en raison directe de la fécondité du sol, de 18,000 à 29,000 kil.,
qui représentent 4,500 à 7,250 kil. de fourrage.

Lorsqu'on peut obtenir ce chiffre, il est avantageux de produire ce fourrage ; mais si on ne peut
récolter qu'un équivalent de 4,000 kil. de fourrage

sec, il n'y a pas de profit, et c'est un fourrage fort
cher, comme le dit très-bien une sommité agricole,
et dont il ne faut pas faire plus que le besoin spécial ne l'exige.

La paille de seigle sert de base à la litière de nos
bestiaux, à faire des liens et des paillasses, à em-
pailler les chaises et à couvrir les habitations rus-
tiques. Elle peut aussi servir à l'alimentation des
moutons et du gros bétail, quand on la mélange
avec du trèfle, de la luzerne, etc.

Froment.

Caractères génériques. — Locustes tri-multiflores, solitaires sur les
dents du rachis auquel elles présentent une de leurs faces latérales.
Paléole externe aristée au sommet, mucronée ou mutique.

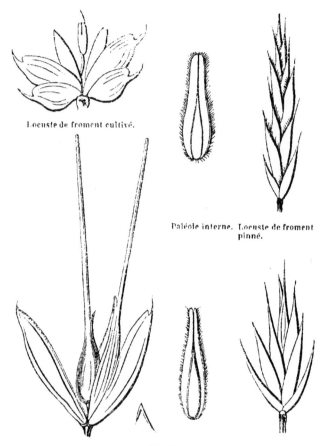

Locuste de froment cultivé.

Paléole interne.   Locuste de froment pinné.

Fig. 8.

Locuste de froment de Pologne.   Paléole interne.   Locuste de froment traçant (chiendent)

FROMENT CULTIVÉ (TRITICUM SATIVUM. LAM.)

(Flam. *Tarwe*; Angl. *Wheat*; Allem. *Gemeiner Weizen*.)

Caractères spécifiques. — Glume n'enveloppant pas la locuste ; paillettes convexes-ventrues au dos, un peu carénées supérieurement ; paléole convexe ventrue, à peine carénée dans une partie de sa lon-

gueur ; grain libre entre les paléoles ; rachis non fragile ; chaume
fistuleux. Ann. ou bisann. Fleurit avec 1415° de chaleur.

Le froment cultivé, qui paraît être indigène
près de Baschkiros, aime les sols argileux, forts.

Cette espèce n'est pas cultivée comme plante fourragère ; elle ne fournit au bétail, comme fourrage,
que sa paille qui est considérée, à juste titre, comme
une des plus nourrissantes ; elle est presque toujours améliorée par la présence de diverses plantes
légumineuses, telles que les vesces, les gesses et le
trèfle, qui croissent naturellement dans les guérets ;
mais elle est aussi quelquefois dépréciée par la
présence de divers chardons, centaurées, agro-
stemmes, calystégies. La paille qui est couverte de
lignes ou de taches rousses, jaunes-rouges, noirâtres
ou noires, doit être rebutée, car elle pourrait faire
naître des accidents sérieux chez les animaux qui
s'en nourriraient.

Pour qu'elle soit de première qualité, la paille
doit avoir une couleur jaune vive ou dorée, et ne
présenter aucune odeur de moisissure ou de cham-
pignon ; mâchée, elle doit avoir une saveur légère-
ment sucrée. Les pailles des céréales d'hiver sont
plus recherchées par les bestiaux que celles des
variétés du printemps, et celles récoltées sur un
terrain élevé et chaud sont meilleures que celles
des terrains bas et froids. La paille est donnée
entière ou coupée : ce dernier procédé, lorsqu'elle
est mêlée à d'autres aliments, est le plus économique et le plus profitable.

275 kil. de paille équivalent à 100 kil. de bon
foin.

Le *froment épeautre* fournit une paille aussi
nutritive, sinon plus que celle du *froment cultivé.*

FROMENT DES BOIS (TRITICUM SYLVATICUM. MOENCH.).

(Flam. *Boschachtige tarwe* ou *Zwenkgras*; Angl. *Slender Wood Wheat*
ou *Fescue*; Allem. *Wald Zwenke*.)

Caractères spécifiques. — Glume n'enveloppant pas la locuste; paillettes oblongues, très-inégales entre elles, plus ou moins convexes au dos, ni ventrues, ni carénées; paléole externe munie d'une arête aussi longue qu'elle; paléole interne obtuse ou tronquée au sommet; épi régulier plus ou moins incliné; souche cespiteuse. Vivace. Fleurit avec 1899° de chaleur.

Le froment des bois indigène, en Europe, au Caucase et en Orient, se trouve dans les endroits élevés et ombragés des bois et des buissons : il s'établit de préférence dans les sols sablonneux, sablo-argileux et calcaire.

Cette espèce ne convient que pour les pâturages secs et élevés, et pour la formation des herbages des bois : on la fait brouter au fur et à mesure de sa croissance, ou on la fauche de bonne heure, car elle durcit vite, à tel point que le bétail refuse de la manger. Coupée ou pâturée avant le développement des tiges, elle constitue un fourrage dont les forces nutritives n'ont pas encore été suffisamment expérimentées.

On en obtient :

En vert, 33,574 kil.; en foin, 21,459, contenant 512 de matières nutritives pour 10,000 parties, et 2,15 d'azote.

On emploie environ 60 kil. de semence à l'hectare.

FROMENT PINNÉ (TRITICUM PINNATUM. MOENCH.).

(Flam. *Gevederd Zwenkgras* ou *tarwe*; Angl. *Spiked Heath Fescue* ou *Wheat*; Allem. *Gefiederte Zwenke*.)

Caractères spécifiques. — Se distingue de la précédente par ses arêtes plus courtes que la paléole externe et sa souche à rhizomes traçants.

Ce qui a été dit de l'espèce précédente s'applique au froment pinné.

Ivraie (1).

Caractères génériques. — Locustes pluri ou multiflores, solitaires sur les dents du rachis auquel elles présentent le dos des fleurons ; glume à deux paillettes dans la locuste terminale et à une paillette dans les locustes latérales.

Fig. 9.

Portion d'épi   Portion d'épi
de l'ivraie vivace.   de l'ivraie enivrante.

IVRAIE RIEFFEL (LOLIUM RIEFFELIANUM DM.).

(Flam. *Rieffels Dolyk* ; Angl. *Rieffels Darnel* ; Allem. *Rieffelienisch Lolch*.)

Caractères spécifiques. — Locustes à 13-30 fleurons ; glume plus courte que la locuste ; paléole externe oblongue-lancéolée ; plante annuelle n'émettant pas ou n'émettant guère de fascicules de feuilles stériles, enroulées dans leur jeunesse. Fleurit avec 1649° de chaleur.

L'ivraie rieffel, désignée en Bretagne sous le

(1) Une espèce de fétuque a quelque analogie avec les ivraies, c'est la fétuque fausse ivraie ; on la rapportera facilement au genre auquel elle appartient par l'inspection de la glume des locustes latérales qui est à deux paillettes.

nom de *Pill*, qui n'est très-probablement que le *lolium multiflorum* de Lamarck, croît dans les plus mauvaises conditions.

L'habile directeur de l'institut agricole de Grand-Jouan, en France (Seine-Inférieure), a péremptoirement démontré, par des expériences sagement conduites, qu'elle peut tout aussi bien végéter dans un sol froid et humide où l'eau reste stagnante, que dans un sol chaud et pauvre. C'est dans les terres de bruyère humides, maigres, où le trèfle ni aucun des bons fourrages ordinaires ne peuvent réussir, et ces conditions ne sont pas rares à trouver en Belgique pas plus qu'en France, qu'elle peut rendre de grands services à l'éleveur. Elle y donne, il est vrai, un foin un peu grossier, mais que les animaux ne laissent pas que de manger avec plaisir, tout en s'engraissant aussi bien que ceux auxquels on donne de la luzerne.

La *variété submutique*, encore connue sous le nom de *Raygras Bailly*, est une bonne graminée fourragère dans les sables argileux, rudes et cailouteux, très-secs en été et très-humides en hiver.

L'ivraie rieffel donne de 5,000 à 8,000 kil. de fourrage à l'hectare.

Depuis 1856, dit M. Vilmorin, M. Bailly, en (*variété submutique*) a eu annuellement dix hectares en coupe qui lui ont donné 5,000 à 6,000 kil. de fourrage à l'hectare. On emploie 30 kilogr. de semence d'ivraie rieffel, et 20 à 25 de la variété Bailly. Le semis se fait de septembre à la fin de décembre.

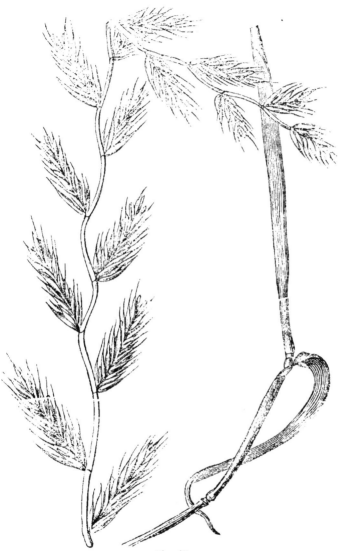

Fig. 10.
Ivraie Rietfel

IVRAIE D'ITALIE (LOLIUM ITALICUM. L.).

(Flam. *Italiaensch raygras* ou *dolyk*; Angl. *Italian Darnel*; Allem. *Italienisch Lolch.*)

Caractères spécifiques. — Locustes à 5-14 fleurons ; glume plus courte que la locuste ; paléole inférieure oblongue-lancéolée ; plante vivace émettant un grand nombre de fascicules de feuilles stériles enroulées dans leur jeunesse. Fleurit avec 1650° de chaleur.

Fig. 11
Ivraie d'Italie

Cette plante, indigène en Italie, n'est cultivée en
Belgique et en France que depuis une quarantaine
d'années, époque à laquelle elle y fut importée de
l'Italie et de la Suisse.

Elle aime l'humidité, un sol loameux frais, bien
amendé, quoiqu'elle réussisse aussi dans les terrains légers, fertiles et humides. Quoi qu'en disent
des agronomes allemands, elle craint les sols secs.

L'ivraie d'Italie est très-précoce et jouit d'une
vigueur de végétation qui n'est arrêtée que par les
gelées d'hiver.

Cette plante, qui produit considérablement dans
certaines circonstances, donne quelquefois de faibles
récoltes dans des terres qui sembleraient devoir
lui convenir particulièrement. Tantôt elle fournit
pendant cinq ou six ans, des récoltes abondantes :
d'autres fois, malgré tous les soins possibles de
culture, elle disparaît subitement après la deuxième
ou la troisième coupe, sans qu'on en connaisse la
cause.

L'ivraie d'Italie se sème, en automne ou au printemps, à raison de 40 kil., ou en mélange avec du
trèfle des prés ou du trèfle incarnat. Le trèfle incarnat et l'ivraie d'Italie, à raison d'un tiers du
premier et de deux tiers d'ivraie, donnent souvent
de très-bons résultats. Après l'enlèvement du trèfle,
on conserve pendant trois ou quatre ans, selon la
convenance du sol, une prairie d'ivraie qui fournit
plusieurs coupes abondantes et des plus succulentes.

Le trèfle des prés en mélange avec de l'ivraie
d'Italie a fourni des résultats supérieurs à ceux
qu'on a obtenus par le trèfle et le raigrass vivace.

M. de Dombasle, qui a étudié et expérimenté
la culture de l'ivraie d'Italie sous toutes ses faces

et dans les conditions les plus variées, s'exprime ainsi : « Il semble démontré, d'abord, que c'est seulement dans des sols de haute fécondité, et probablement dans des argiles calcaires, situés dans une position fraîche, que l'on peut espérer que cette plante se soutienne avec tout son luxe de végétation, et je dois regarder comme des exceptions mes récoltes de 1829 et 1830. Il est probable que la beauté de ces récoltes, sur des terres blanches et graveleuses, a été due à ce que la semence avait été récoltée sur des terrains qui conviennent mieux à la nature de ces plantes ; mais la semence produite dans des sols médiocres n'a plus donné de beaux produits que lorsqu'on l'a reportée dans des sols plus riches et d'une autre nature. Enfin, l'unanimité des observations faites en Suisse démontre que le purin ou engrais liquide convient d'une manière spéciale au *raigrass* d'Italie, et l'on ne connaît aucune plante qui jouisse à un plus haut degré que celle-ci de la propriété de s'assimiler avec promptitude les principes nutritifs administrés sous cette forme, et de convertir en un très-court espace de temps, en nourriture pour le bétail, les urines des animaux et leurs excréments délayés sous forme de purin. »

Le mélange de trèfle des prés et d'ivraie d'Italie a suscité en Belgique quelques observations relatives à la végétation inégale que présentent ces deux plantes ; mais malgré l'opposition que ce mélange peut provoquer, il reste établi que si le dosage, qui dépend entièrement de la nature et de la fertilité du sol, des deux semences est convenablement fait, il donne toujours une récolte beaucoup plus forte que quand le trèfle est semé seul. Cependant, rien n'est plus facile que de composer un mélange dans lequel le trèfle ne soit pas devancé par l'herbe; il va sans dire que dès lors on a un fourrage naturellement plus tardif. A cet effet, on remplace l'ivraie par la fléole, qui, quoique fleurissant tard, n'en donne pas moins un grand produit et constitue un fourrage très-nutritif. Si la prairie temporaire peut durer plusieurs années, il est prudent et sage d'y ajouter un quart de graine de fétuque fausse ivraie, qui jouit du précieux avantage de devenir d'autant plus productive qu'elle acquiert de l'âge, tandis que l'ivraie s'use au bout de deux ou trois ans. On l'a annoncé, dit M. Vilmorin, comme vivace et devant durer, au moins, trois à quatre ans; mais d'après les expériences qu'on a faites, il ne paraît pas que l'on puisse en attendre plus de deux années de bons produits sous la faux, et cela seulement dans les terrains à la fois riches et humides.

Tous les bestiaux, tant les vaches laitières que les bœufs à l'engrais, s'en accommodent très-bien : elle pousse à l'engrais et augmente et améliore la sécrétion laiteuse.

Un hectare de raigrass d'Italie, arrosé abondamment avec de l'engrais liquide, comme la vidange, etc., donne trois à cinq coupes la première année, dont le rendement varie de 13,000 à 25,000 kil. de foin, qui est meilleur que celui des autres ivraies : il contient environ 1 p. c. d'azote.

On emploie 50 kil. de semence à l'hectare.

IVRAIE VIVACE (LOLIUM PERENNE. L.).

(Flam. *Overblyvend Roggegras*, *Overblyvende Dolyk*; *Engelsch Rayyras*. Angl. *Common Rye-gras*. *Red Darnel*; Allem. *Ausdauernder Lolch*.)

Caractères spécifiques. — Locustes à 5-16 fleurons; paillettes plus courtes que la locuste; paléole inférieure oblongue-lancéolée; plante vivace émettant un grand nombre de fascicules de feuilles stériles pliées-carénées dans leur jeunesse. Fleurit avec 1652° de chaleur.

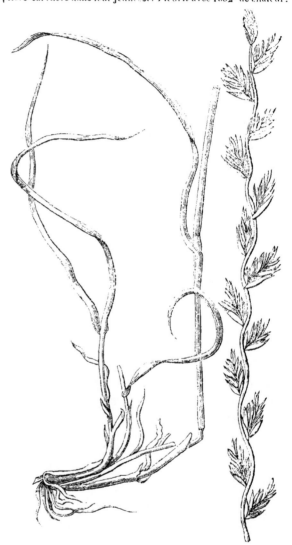

Fig. 12.
Ivraie vivace.

L'ivraie vivace ou raigrass des Anglais est une graminée qui croît partout en Europe, au Caucase et en Amérique, dans les prés, sur les bords des champs et des fossés et le long des chemins.

En Angleterre, où cette plante est cultivée avec beaucoup de soin, on en a obtenu plusieurs variétés, qui ne se distinguent entre elles que par leur vigueur, leur précocité et leur rendement vraiment extraordinaire, comparé à celui que procure l'ivraie vivace de France ou de Belgique.

Parmi ces variétés, on peut signaler :

L'*ivraie vivace de Russel*, qui contient plus de matières nutritives que l'ivraie ordinaire ;

L'*ivraie vivace de Stickney*, qui se rapproche à beaucoup d'égards de la précédente, et

L'*ivraie vivace de Whitwort,* qui est à la fois la variété la plus précoce et la plus tardive.

L'ivraie vivace demande un sol assez fort, loameux ou sablo-argileux, gras et humide ; dans les terrains légers, secs et non fumés, elle reste chétive.

Les variétés d'ivraies de Russel et de Stickney affectionnent les sols bas mais fertiles, tandis que celle de Whitwort réussit mieux sur les terrains un peu élevés.

Si l'on examine les opinions qui ont été émises sur le mérite du raigrass comparé à d'autres gramens fourragers, on les trouve singulièrement contradictoires ; mais nous nous garderons de suivre les agronomes sur le terrain de la discussion interminable où la question a été placée. Quelques observations pratiques suffiront pour l'éclaircir.

Un des grands avantages de l'ivraie vivace, c'est qu'elle donne dès la première année un fourrage abondant et précoce que le bétail mange avec avidité : c'est une qualité précieuse pour l'éleveur.

Par contre, ses tiges montent rapidement et elles ne tardent pas à fleurir et fructifier. Il faut donc la faucher ou faire pâturer de bonne heure ; sinon elle épuise beaucoup le sol.

L'expérience a appris que le raigrass n'est pas aussi important sous le rapport du rendement et de la nutritivité que le vulpin des prés, le dactyle gloméré, la fétuque fausse ivraie et l'ivraie d'Italie, mais il n'est pas moins vrai que le vulpin des prés et le dactyle gloméré sont peu fructifères ; ce qui fait que la germination de la semence est toujours incertaine, et quant à la fétuque, sa première végétation est lente, ce qui en restreint l'utilité pour la création des prairies temporaires.

De ces considérations pratiques, il résulte que l'ivraie vivace et l'ivraie d'Italie doivent avoir la prééminence sur les autres pour ce genre d'herbages.

Mais dans les prairies permanentes il est infiniment plus avantageux de faire prédominer le dactyle gloméré et la fétuque fausse ivraie dont le rendement s'accroît avec l'âge de la souche.

Ce qui est cause de la dépréciation de l'ivraie d'Italie et de l'ivraie vivace, qui occupent une si grande étendue de terrain en Angleterre, c'est qu'en Belgique, comme dans bien d'autres pays, on a fait les essais avec des graines qui, bien que vendues comme d'origine écossaise, ne sont ou que de la semence de l'ivraie vivace ordinaire, dont les plantes sont beaucoup plus sensibles aux gelées que celles provenant de la véritable graine anglaise, ou bien de la semence écossaise adultérée avec des graines indigènes. En effet, plus d'une fois nous y avons constaté des graines d'ivraie des champs et de brome en proportions considérables. La se-

mence du raigrass anglais, pure de tout mélange,
donne des plantes qui résistent très-bien aux froids
de nos climats, si on raffermit suffisamment le sol
par des roulages. Elle ne craint rien autant que les
sols légers, déchaussants.

Lorsque l'ivraie se trouve dans de bonnes conditions de culture, elle atteint de 7 à 11 décimètres
de hauteur : on la coupe fréquemment, et on ne
peut différer le fauchage jusqu'après la floraison
des premières locustes de l'épi.

Le piétinement lui étant très-favorable, il convient de la faire brouter de temps à autre ; ce qui
la fait taller, se ramifier et pousser une grande
quantité de fascicules de feuilles qui repoussent
sous la dent du bétail presque à vue d'œil.

Destinée au fauchage, elle peut fournir trois
coupes, et former après une bonne pâture ou d'excellents regains, lorsqu'on l'arrose largement ou
qu'on la submerge pendant quelque temps.

Semée seule, l'ivraie vivace donne pendant deux
à dix ans de bon fourrage ; en Belgique elle n'est en
plein rapport que pendant deux ans.

Les pâturages gras de Dixmude et des environs
sont en grande partie composés d'ivraie vivace,
d'orge des prés et de fétuque fausse ivraie.

Si la prairie permanente dans laquelle on la fait
entrer est destinée à être fauchée, car en France,
même dans le nord, comme le dit très-judicieusement le professeur Lecoq, l'ivraie vivace ordinaire
est plutôt une plante de pâturage qu'une espèce à
faucher, il faut l'associer à des espèces précoces et
aimant l'humidité : le vulpin des prés, la fétuque
fausse ivraie, la fétuque des prés, l'orge des prés, le
dactyle gloméré, la houque laineuse, l'arrhénathère
fausse avoine, le paturin des bois et le paturin des prés.

9

Semé en mélange avec du trèfle ou de la lupuline, le raigrass exige nécessairement un sol frais
à sous-sol compacte. Cette prairie temporaire fournit une première coupe de fourrage, puis du pâturage pendant le reste de la saison.

L'ivraie vivace ordinaire donne :

	En vert.	En foin.	Matières nutri-tives pour 10,000 parties.	Azote pour 100 parties de foin nor-mal.
En avril. . . .	3,798			
A la fleuraison.	7,278	3,090	390	
A la maturité .	13,956	4,176	429	0.98
Regain	3,165		153	

Les variétés désignées plus haut donnent :

Vers la mi-avril . . . 5,064 kilogr. en vert.
A la fleuraison 14,559   »

On emploie 50 kilog. de semence à l'hectare ; on
double cette dose pour la formation des gazons.

Tribu des Festucacées.

Locustes pédonculées, très-rarement presque sessiles, ne
correspondant pas sur une ou sur deux faces presque opposées
à des dépressions de l'axe facilement saisissables, à deux ou plusieurs fleurons fertiles, disposées en panicule rameuse, rarement
en panicule spiciforme ; paléole externe mutique ou aristée, arête
jamais tordue ni géniculée.

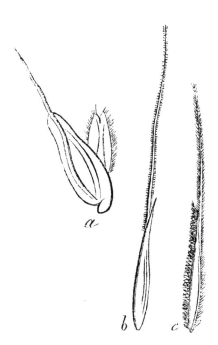

Fig. 15 (1).

Cynosure.

Caractères génériques. — Panicule spiciforme unilatérale, à locustes fertiles entremêlées de locustes stériles réduites à des bractées pinnées ou pectinées.

(1) *a.* Fleuron du brome mou ; *b.* paléole externe du brome stérile; *c.* paléole externe d'une fétuque.

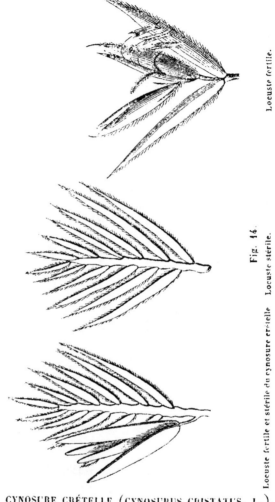

Locuste fertile.

Fig. 14.

Locuste stérile.

Locuste fertile et stérile du cynosure crételle

CYNOSURE CRÉTELLE (CYNOSURUS CRISTATUS. L.).

(Flam. *Kamgras;* Angl. *Crested Dog's-tail-grass;* Allem. *Gemeines Kammgras.*)

Caractères spécifiques. — Panicule spiciforme, unilatérale, linéaire, allongée. Vivace. Fleurit avec 1766° de chaleur.

La cynosure crételle se rencontre
presque partout en Europe. Elle
vient dans tous les terrains sains où
l'eau ne reste pas stagnante, dans les
prés comme dans les clairières des
bois.

La crételle ne craint ni la sécheresse, ni l'eau pluviale; son feuil-
lage court, ramassé, la fait concourir
utilement à la formation du fond
des prairies fertiles à sol argilo-sablonneux, où elle jette des racines
profondes, qui font qu'elles résistent
bien à la sécheresse prolongée. Son
rendement est presque nul dans les
terres de qualité médiocre.

La présence de cette herbe indique
des prés favorables à l'hygiène du bétail : les moutons la mangent avec
avidité, et en engraissent promptement en communiquant à leur chair,
paraît-il, un fumet des plus agréables.
Aussi, en conseille-t-on beaucoup
la culture en mélange avec la fétuque
des brebis, rouge et durette, la houque
molle, la brize moyenne, la flouve
odorante, le paturin des prés et le
trèfle rampant pour la formation de
pâturages pour les moutons.

Cette plante ne manque pas de
détracteurs. On prétend qu'elle ne
peut être donnée en grande quantité parce qu'elle est trop nutritive
et rend la laine grossière et de qualité médiocre. Il suffit de rapporter

Fig. 15.
Cynosure crételle

9.

cette remarque pour qu'on en fasse justice ; on ne la cite que pour démontrer une fois de plus jusqu'à quel point l'esprit de découverte peut pousser l'erreur.

En Angleterre, on attribue à la crételle, associée à l'ivraie vivace, au paturin des prés et au trèfle, la supériorité du fromage de Berkley ; mais Marshal soutient que cette qualité est due plutôt à des plantes de qualité inférieure, telles que la cinéraire des marais, la scabieuse à racine tronquée, qui pullulent sur les terres froides et négligées.

La crételle, qui ne se sème jamais seule, donne :

	En vert. kilogr.	En foin. kilogr.	Mat. nutrit. par 10,000.	Azote pour 100 de foin.
A la floraison.	5,697	1,705	750	1,11
A la maturité.	11,460	3,420	590	
Regain. . . .	5,162			

On en sème 25 kilogr. à l'hectare.

Fétuque.

Caractères génériques. — Locustes fertiles non entremêlées de locustes stériles réduites à des bractées pinnées ou pectinées ; locustes a fleurons tous fertiles, non involucellés ; glume plus courte que la locuste ; paléole externe à dos arrondi-convexe, aiguë, aristée ou non ; styles terminaux ou stigmates sessiles terminaux.

Fig. 16.

Fleuron de fétuque. Ovaire et paléoles.

FÉTUQUE DES BREBIS (FESTUCA OVINA L.).

(Flam. *Schaeps Zwenkgras* ; Angl. *Sheep's Fescue;* Allem. *Schauf-Schwengel.*)

Caractères spécifiques. — Panicule à fleurons mutiques ou courtement aristés au sommet; feuilles toutes enroulées, sétacées, très-fines, scabres; ligule biauriculée ; souche cespiteuse. Vivace. Fleurit 1516° de chaleur.

Fig. 17.
Fétuque à feuilles ténues

Fig. 18.
Fétuque ovine

Cette plante est très-répandue dans le nord de
l'Europe, en Sibérie et au détroit de Nootka ; partout elle occupe les lieux secs, sablonneux et calcaires, les coteaux pierreux, crayeux et siliceux,
les murs et les toits, et devient d'autant plus abondante qu'on avance plus vers le Nord : c'est en
quelque sorte la seule espèce qu'on découvre en
Suède dans les terrains incultes.

La fétuque des brebis forme des touffes épaisses
isolées qui s'arrondissent et s'étendent successivement ; quoiqu'elle ne soit guère productive, elle constitue cependant une ressource précieuse pour les
landes sablonneuses et siliceuses où elle peut être
broutée pendant huit à dix ans. M. Vilmorin, qui
a expérimenté la culture de cette plante seule et
mêlée à d'autres, a remarqué que les troupeaux ne
la pâturaient bien qu'en hiver, et qu'en été, les
moutons ne mangeaient que les pieds isolés. « Je
l'emploie souvent en mélange, dit-il, mais j'en fais
aussi des pièces séparées, à raison des ressources
qu'elle offre pour l'hiver et de l'avantage qu'elle
possède de s'établir avec vigueur sur les terres
arides, soit siliceuses, soit calcaires, et de les couvrir d'un gazon épais et durable. »

C'est dans ces cas seuls qu'il convient de cultiver
la fétuque ovine ; dans les sols de meilleure qualité,
on donnera la préférence aux autres espèces de
fétuque qui donnent un plus grand rendement.

La question de la richesse nutritive de cette
fétuque a été longtemps controversée. Les uns, con-
fiants dans les analyses chimiques, la considèrent
comme très-médiocre ; les autres, se méfiant des
recherches analytiques, prétendent que, comme les
moutons la mangent avec plaisir et en fournissent
une laine fine, elle constitue un très bon fourrage.

Ces deux opinions se concilient facilement. L'analyse chimique ne porte que sur une partie d'herbe coupée en une fois et fanée immédiatement après, sans que l'on fasse un triage quelconque des diverses qualités de feuilles qui la composent. De ce mélange de feuilles, etc., parvenues à divers degrés de développement, résulte une moyenne de matières nutritives très-médiocre.

Les moutons, eux, guidés par l'instinct, saisissent seulement les feuilles et les brins qui leur conviennent le plus; ils opèrent donc un triage, puisqu'ils mangent à point les parties succulentes au fur et à mesure de leur production, alors qu'elles contiennent le summum de parties nutritives. Aussi, les moutons qu'on conduit sur un pâturage de fétuque ovine arrivée à son développement complet, ne mangent ce fourrage qu'à défaut de tout autre. C'est pourquoi elle appartient essentiellement à la confection des pâturages qui doivent être broutés en hiver et au printemps dès que la végétation s'est ranimée.

La fétuque ovine donne en vert 10,000 kil., en foin, 3,500 kil., contenant 9187 kil. de matières nutritives pour 10,000 parties, et 0.09 d'azote.

30 kilog. de semence suffisent à l'emblavement d'un hectare.

FÉTUQUE DURETTE (FESTUCA DURIUSCULA. L.).

(Flam. *Hard Zwenkgras* ; Angl. *Hard Fescue* ; Allem. *Hartlicher Schwingel.*)

Caractères spécifiques. — Panicule à fleurons aristés ; feuilles pliées, carénées ; ligule biauriculée ; souche cespiteuse. Vivace. Fleurit avec 1632° de chaleur.

Fig. 19.
Fétuque durette.

La fétuque durette, que l'on trouve souvent mêlée ou associée dans ses stations avec la précédente, ne craint pas plus qu'elle les lieux sablonneux, calcaires et les coteaux pierreux secs et crayeux; mais ces sols ne sont pas précisément ceux dans lesquels elle vient le mieux. Dans une terre fertile argilo-sablonneuse, ou dans un sable riche, humeux et frais ou irrigable, elle donne un fourrage sain, nutritif et beaucoup plus recherché que la fétuque ovine, à laquelle les moutons ne touchent que lorsque la durette est consommée. Associée à la fétuque fausse ivraie et des prés, au paturin trivial, à la flouve odorante et à la crételle, elle forme une pâture serrée, savoureuse, qui résiste bien à la sécheresse et sur lequel le bétail prend vite la graisse.

La fétuque durette fumée ou arrosée prend assez de développement pour donner deux coupes de fourrage d'excellente qualité : il est des contrées où elle forme à elle seule d'immenses pâturages. En France, elle forme les bons pâturages du Cantal.

Elle donne à l'hectare :

	En vert.	En foin.	Mat. nutrit. pour 10,000.	Azote pour 100 foin anormal.
A la floraison.	17,088	5,980	546	1.30
A la maturité.	17,755	6,207	254	

On emploie 40 kilog. de graines à l'hectare.

FÉTUQUE ROUGE (FESTUCA RUBRA. L.).

(Flam. *Rood Zwenkgras*; Angl. *Creeping Fescue*; Allem. *Rother Schwingel*.)

Caractères spécifiques. — Panicule à fleurons aristés ; feuilles pliées, subplanes ou un peu enroulées ; ligule biauriculée ; souche émettant des rhizomes longuement traçants. Vivace. Fleurit avec 1514° de chaleur.

Fig. 20.
Fétuque rouge.

La fétuque rouge, indigène en Europe, en Sibérie et peut-être dans l'Amérique septentrionale, est commune le long des routes sèches et pierreuses et se rencontre aussi dans les clairières des bois à sol sablonneux et calcaire.

Cette plante présente, sous le rapport de la culture, à peu de chose près, les mêmes propriétés que la fétuque ovine, quoique son mode de végétation en diffère beaucoup ; elle peut être associée à celle-ci dans la plupart des circonstances que l'expérience seule peut apprendre à connaître, et particulièrement pour la création de pâturages de longue durée dans les terrains secs et arides. Dans les sols fertiles humides, elle atteint une élévation qui permet de la faucher.

La fétuque rouge donne.

	En vert. Kilogr.	En foin. Kilogr.	Mat. nutrit. pour 10,000.	Azote pour 100 de foin normal.
A la floraison.	9,495	4,035	234	0.85
A la maturité.	10,128	4,557	312	
Regain	3,165		234	

FÉTUQUE HÉTÉROPHYLLE (FESTUCA HETEROPHYLLA. LAM.).

(Flam. *Verscheyden bladig Zwenkgras ;* Angl. *Heteroleaf Fescue ;*
Allem. *Verschieden blattriger Schwinget*).

Caractères spécifiques. — Panicule à fleurons aristés ; feuilles caulinaires planes ; les radicales pliées ou enroulées ; ligule biauriculée ; souche cespiteuse. Vivace. Fleurit avec 1340° de chaleur.

La fétuque hétérophylle, indigène en Europe, quoique affectionnant les terrains humides, bas, ombragés, ne refuse pas de croître avec vigueur sur les bords et dans les clairières des bois et des taillis, où elle forme des touffes arrondies.

On la fauche ou on la laisse brouter ; elle constitue une bonne plante fourragère dans les lieux ombragés et plaît à tous les bestiaux, mais surtout aux chevaux.

Elle donne 3,400 kilog. de fourrage sec, et contient un peu moins de matières nutritives que la fétuque durette.

On emploie 40 kilog. de semence à l'hectare.

FÉTUQUE FAUSSE IVRAIE (FESTUCA LOLIACEA. HUDS.).

(Flam. *Lolikagtig Zwenkgras*; Angl. *Spiked Fescue*; All. *Lolchartiger Schwingel*.)

Caractères spécifiques. — Épi ou panicule-épi composé de locustes, les unes sessiles, les autres supportées par un pédoncule un peu allongé; fleurons mutiques ou courtement aristés; ligule non biauriculée; feuilles planes. Vivace. Fleurit avec 1652° de chaleur.

La fétuque fausse ivraie, indigène en Europe, aime un sol argilo-sablonneux ou sablo-argileux frais et submergé de temps à autre; elle a quelque affinité de port avec le raigrass des Anglais et réussit partout où celui-ci acquiert quelque développement; mais elle présente un mode de végétation qui est diamétralement opposé à celui de l'ivraie. En effet, ainsi qu'il a été dit plus haut, la fétuque a d'abord une végétation lente; mais une

Fig. 21.
Fétuque fausse ivraie.

fois bien enracinée, sa souche s'étend d'année en année et émet un nombre prodigieux de fascicules de feuilles et de chaumes qui contiennent beaucoup de principes nutritifs. Le raigrass, au contraire, s'établit vite, émet dès la première année beaucoup de rejets de feuilles et de chaumes, mais finit au bout de peu d'années par s'épuiser. On en déduit que la fétuque fausse ivraie doit occuper le premier rang dans les prairies permanentes et vient naturellement après le raigrass dans les prairies temporaires, non-seulement à cause de son mode de végétation, mais aussi parce que beaucoup de fleurs de la fétuque avortent et que la graine que l'on trouve dans le commerce n'étant pas bien nettoyée, donnerait lieu à un semis trop clair.

Cette fétuque, à la fois très-précoce et extrèmement tardive, donne un très-beau produit : elle entre dans la confection des prairies à faucher et à pâturer.

Tous les bestiaux la consomment avec plaisir, tant à l'état vert qu'à l'état de foin qui se conserve longtemps avec toutes ses qualités.

Elle donne :

	En foin. Kilogr.	En foin. kilogr.	Mat. nutrit. pour 10,000.	Azote pour 100 de foin normal.
A la floraison.	18,270	8,039	469	0.85
A la maturité.	11,128	6,251	477	
Regain. . . .	5,565		187	

Dans de très-bonnes conditions de culture, ce produit peut se doubler.

On sème 50 à 55 kilog. à l'hectare.

FÉTUQUE DES PRÉS (FESTUCA PRATENSIS. HUDS.)

(Flam. *Weyde Zwenkgras;* Angl. *Meadow Fescue;* Allem. *Wiesen-Schwingel.*)

Caractères spécifiques. — Panicule à rameaux inférieurs géminés, le rameau le plus court portant le plus souvent une locuste ; fleurons mutiques ou courtement aristés ; ligule non biauriculée ; gaîne souvent biauriculée ; feuilles planes. Vivace. Fleurit avec 1899° de chaleur.

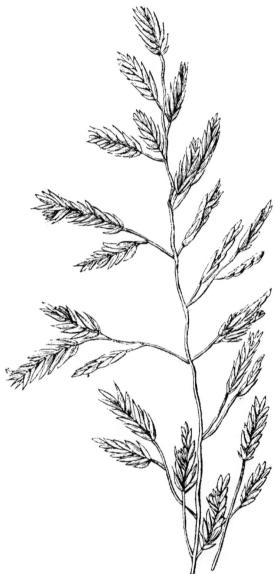

Fig. 22.
Fétuque des prés.

La fétuque des prés, indigène en Europe et dans l'Asie septentrionale, est commune dans les prés, dont elle forme quelquefois la base.

Elle aime un sol gras, frais, submergé de temps à autre sans être couvert d'eau stagnante.

Les nombreux fascicules de feuilles stériles, d'entre lesquelles on voit sortir des tiges fertiles qui atteignent jusqu'à 15 décimètres de hauteur, donnent un très-bon foin et sont broutées avec plaisir par tous les herbivores.

La fétuque des prés est à la fois précoce et tardive, puisqu'elle pousse jusqu'aux gelées sans interruption et qu'elle se ranime dès que la température est montée à 6° centigrades. Le dactyle pelotonné, qui est réputé parmi les herbes des prés comme le plus vivace, ne reprend sa végétation que lorsque la température est à 7° centigrades.

On ne la cultive presque jamais seule, et avec raison : on l'associe à la fétuque fausse ivraie, à la fléole des prés, à l'arrhénathère fausse ivraie et au trèfle rouge et blanc. Les légumineuses qui y entrent pour une petite quantité, forment le fond de la prairie.

Ce n'est qu'à la fin de la deuxième année qu'elle commence à prendre un grand développement, ce qui la rend peu propre à entrer dans la formation de prairies temporaires de courte durée. Elle a cela de commun avec beaucoup de graminées plantureuses.

Le produit de la fétuque des prés, variété géant, est considérable et contient beaucoup de matières saccharines ; elle est recherchée par tous les bestiaux et particulièrement par les chevaux et les bœufs.

Il importe que le cultivateur fasse un bon choix

en ce qui concerne la graine; car le produit de l'une,
comparé à celui d'une autre, est souvent comme 1 à 5.
Ainsi, la variété connue sous le nom de *géant* peut
donner dans les terres riches et humides et au bord
des eaux, jusqu'à 20,000 kilog. de foin; l'espèce
type, qui est celle que l'on rencontre généralement,
n'en donne que 4,000 à 5,000 kilog. Elles perdent
54 à 66 p. c. par la dessiccation et contiennent à la
floraison 751 kil., et à la maturité des graines, seulement 254 kil. pour 10,000 parties de matières
nutritives. Le foin contient 1.71 d'azote pour cent
parties; dans l'espèce type, la quantité d'azote varie, d'après le comte de Gasparin, de 0.58 à 1.55
pour cent parties.

50 kilog. de semence suffisent à l'emblavement
d'un hectare.

FÉTUQUE ROSEAU (FESTUCA ARUNDINACEA. SCHREB.)

(Flam. *Rietaytig Zwenkgras*; Angl. *Tail Fescue*; Allem. *Rohrartiger
Schwingel*.)

Caractères spécifiques — Panicule à rameaux inférieurs géminés
ou solitaires formant deux divisions portant chacune 5 à 30 locustes;
fleurons mutiques ou courtement aristés; ligule non biauriculée;
gaine souvent biauriculée supérieurement; feuilles planes. Vivace.
Fleurit avec 1852° de chaleur.

La fétuque roseau, ainsi nommée à cause de la
hauteur de ses chaumes, qui, dans les sols argilo-
sablonneux à sous-sol glaiseux, bas, humides et
fertiles, atteignent plus de dix-huit décimètres, est,
comme la précédente, indigène en Europe et dans
l'Asie septentrionale, où on la trouve le long des
cours d'eau.

C'est une graminée très-utile qui ne craint pas
les inondations et les sols humides que le drainage
ne peut pas assainir.

Elle fournit une masse énorme de fourrage grossier que, selon quelques agronomes, les bestiaux refusent de manger. Nous pouvons assurer, avec un savant botaniste, que cela n'est vrai que dans les cas où elle a crû dans un sol marécageux ou tourbeux ; car le bétail auquel nous l'avons plus d'une fois présenté, le mange avec appétit tant en vert que sec. Elle est très-hâtive et tardive, et contient beaucoup de principes nutritifs ; mais elle doit être coupée quelques jours avant la floraison. On lui associe ordinairement, dans l'emblavement des prairies humides, l'alpiste roseau, la glycérie flottante et élevée, la fléole des prés, la fétuque des prés et la vesce des haies.

Elle donne à la floraison en vert, 57,080 kil. ; en foin, 25,844 kilog., contenant pour 10,000, 780 parties de matières nutritives. Elle contient sur 100 parties de foin normal, 0.54 d'azote.

On sème 50 kilog. de graines à l'hectare.

FÉTUQUE GÉANT (FESTUCA GIGANTEA VILL.)

(Flam. *Rietagtige dravik* ; Angl. *Great Fescue* ; Allem. *Riesen-Schwingel.*)

Caractères spécifiques. — Panicule à rameaux inférieurs ordinairement géminés ; fleurons munis d'une arête deux ou trois fois plus longue que la paléole ; ligule non biauriculée ; gaîne souvent biauriculée supérieurement ; feuilles planes. Vivace. Fleurit avec 1900° de chaleur.

La fétuque géant, indigène en Europe et en Sibérie, croît dans les endroits humides et ombragés, les haies et les taillis.

Elle ne fournit qu'un fourrage de qualité médiocre, mais qui convient cependant pour la composition des prés des bois humides.

Elle peut donner :

	En vert.	En foin.	Mat. nutrit. pour 10,000 parties.
A la floraison.	25,520 kil.	8,862 kil.	590
A la maturité.	22,044 »	7,715 »	590

Brome.

Caractères génériques. — Locustes disposées en panicule à fleurons tous fertiles non involucellés de poils ; glume plus courte que la locuste ; paléole externe à dos convexe aristé ou mutique ; stigmates sessiles naissant vers le milieu de l'une des faces latérales.

Fig. 25.
Pistil d'un brome.

BROME INERME (BROMUS INERMIS L.)

(Flam. *Ongenaelde Dravik* ; Angl. *Aw'nless Brome-Grass*,
Allem. *Grannentose-Trespe.*)

Caractères spécifiques. — Panicule à rameaux disposés par 5-8, paléole externe mutique ou courtement aristée ; paléole interne ciliée-pubescente ; feuilles enroulées dans leur jeunesse. Vivace. Fleurit avec 2186° de chaleur.

Le brome inerme est indigène en Europe, au Caucase et dans l'Asie septentrionale, où on le rencontre dans les prairies humides, ou au bord des rivières. Cependant, il résiste aussi bien à la sécheresse ; car il n'est pas rare de le voir dans des terrains élevés et compactes, propriété qu'il faut attribuer à ses racines épaisses qui pénètrent profondément dans le sol. Il ne mérite cependant pas qu'on en recommande la propagation. Quoi qu'il en soit, l'expérience seule peut apprendre les circonstances où l'on peut en tirer bon parti.

Il donne :

	En vert.	En foin.	Mat. nutrit. pour 10,000 parties.
A la floraison.	11,394 kil.	5,700 kil.	437
A la maturité.	11,394 »	4,985 »	
Regain	8,229 »		

BROME DRESSÉ (BROMUS ERECTUS HUDS.)

(Flam. *Opgeregten dravik*; Angl. *Uprigt Perennial Brome-grass*;
Allem. *Aufrechte-Trespe*.)

Caractères spécifiques. — Panicule à rameaux disposés par 4-6; paléole externe munie d'une arête insérée dans l'échancrure qu'elle présente; paléole interne ciliée-pubescente; feuilles pliées dans leur jeunesse. Vivace. Fleurit avec 1252° de chaleur.

Le brome des prés, indigène en Europe et au Caucase, s'établit de préférence dans les terrains argilo-sablonneux ou loameux avec prédominance d'argile ou de glaise, un peu frais.

La constitution particulière de cette plante permet de la cultiver aussi dans les hauts prés pour lesquels elle est une très-bonne acquisition.

Dans les prés fertiles, le brome dressé fournit un fourrage abondant, tendre, mais de qualité médiocre. Il s'établit vigoureusement, eu égard à la qualité du sol, dans les terres sèches, calcaires et sablonneuses, et peut y être pâturé ou fauché.

On a soumis cette plante à divers essais culturaux dans des terres médiocres, semée seule, et elle a donné chaque fois deux coupes satisfaisantes et un regain tardif qui n'est pas dépourvu de mérite. M. Vilmorin l'apprécie en ces termes : « Mais il est des terrains et des circonstances où une plante médiocre d'ailleurs peut devenir très-utile ; ainsi, sur un sol calcaire trop pauvre même pour le sainfoin, et où il s'agissait d'obtenir des fourrages quelconques, le brome des prés m'a donné des résultats plus satisfaisants qu'aucune autre espèce. Il s'y est établi vigoureusement, de manière à fournir une bonne pâture et même à devenir fauchable mieux que le fromental et le dactyle. On peut donc ranger cette plante au nombre de celles qui, par leur vigueur et leur rusticité, réussissent sur les mauvais terrains et offrent des ressources et des moyens d'amélioration que l'on n'obtiendrait pas d'espèces plus précieuses. Sa durée est très-longue ; j'en possède des pièces établies depuis plus de vingt ans, en très-mauvaise terre, qui sont encore passablement vives et garnies, quoiqu'elles n'aient jamais été fumées. »

Le brome dressé donne : en vert, 20,258 kilog.; en foin, 8,500, contenant, pour 10,000, 390 parties de matières nutritives ; il fournit pour 100 parties de foin normal 0.58 d'azote.

On emploie 45 à 50 kilog. de graine.

BROME RUDE (BROMUS ASPER L.)

(Flam. *Rauwen Dravik* ; Angl. *Hairy Wood Brome-gras* ; Allem. *Rauhe Trespe*.)

Caractères spécifiques. — Panicule à rameaux ordinairement disposés par 2-3 ; paléole externe munie d'une arête de moitié plus courte qu'elle ; paléole interne ciliée-pubescente. Vivace. Fleurit avec 2552° de chaleur.

BROME STÉRILE (BROMUS STERILIS L.)

(Flam. *Schrale dravik, onvruchtbare dravik* ; Angl. *Barren Brome-grass* ; Allem. *Unfruchtbare Trespe*.)

Caractères spécifiques. — Panicule à rameaux penchés, scabres portant la plupart 1-2 locustes ; paillette externe à une nervure ; paléole interne ciliée-pectinée. Annuel ou bi-annuel. Fleurit avec 1055° de chaleur.

BROME DES TOITS (BROMUS TECTORUM L.)

(Flam. *Daks dravik ;* Angl. *Roofs Brome-grass ;* Allem. *Dach-Trespe.*

Caractères spécifiques. — Panicule à rameaux ordinairement disposés par 2-3, penchés, portant la plupart 4-5 locustes ou plus; paillette externe à une nervure; paléole interne ciliée-pectinée. Annuel et bisannuel. Fleurit avec 1070° de chaleur.

Nous ne mentionnons les trois espèces qui précèdent que parce qu'on les rencontre dans les taillis ou sur les bords des prés. Elles ne donnent que peu de fourrage de qualité très-médiocre et dont le bétail n'est guère friand.

BROME DES CHAMPS (BROMUS ARVENSIS L.)

(Flam. *Akker dravik;* Angl. *Taper Field Brome-grass ;* Allem. *Acker-Trespe.*)

Caractères spécifiques. — Paillettes à 5-5 nervures ou plus ; paléole interne ciliée-pectinée de même longueur que l'externe ou la dépassant; celle-ci munie d'une arête ; gaines inférieures des feuilles couvertes de poils courts qui forment un duvet cotonneux, grisâtre. Annuel ou bisannuel. Fleurit avec 2550° de chaleur.

Le brome des champs se trouve sur les sols sablonneux parmi les céréales cultivées et rarement dans les prés fertiles.

On le fait entrer quelquefois dans les mélanges pour la formation des prairies temporaires que l'on fauche à la floraison : fauchée à la maturité des grains, qui se disséminent alors au moindre coup de vent, cette plante n'a presque pas de valeur.

Elle donne en bonne terre :

	En vert.	En foin.	Mat. nutrit. pour 10,000 parties.
A la floraison.	22,152	11,076	625
A la maturité.	15,500	6,550	

On sème 50 à 55 kilogr. de graines à l'hectare.

BROME SEIGLIN (BROMUS SECALINUS L.)

(Flam. *Rogge dravik*; Angl. *Smooth Rye Brome-grass*; Allem. *Roggen-Trespe.*)

Caractères spécifiques. — Paillettes à 5-5 nervures ou plus; paléole interne ciliée-pectinée de même longueur que l'externe ou la dépassant; celle-ci munie d'une arête; gaines inférieures glabres ou presque glabres. Annuel et bisannuel. Fleurit avec 1766° de chaleur.

Indigène en Europe et au Caucase, cette espèce que l'on trouve beaucoup parmi les céréales cultivées, surtout l'orge et le seigle, aime un sol de consistance moyenne fertile.

Le brome seiglin fournit un fourrage qui plaît à tous les animaux herbivores avant que les tiges aient acquis quelque dureté.

Quelques auteurs préconisent la culture de cette plante comme espèce fourragère. Nous croyons que cette recommandation ne repose sur aucun fait soigneusement observé et qu'elle ne s'appuie pas de la comparaison avec d'autres plantes graminées qui lui sont infiniment supérieures sous le rapport de la quantité et de la qualité.

L'orge et l'ivraie méritent dans tous les cas, la préférence, car le brome seiglin, pour donner un produit un peu important, exige une très-bonne terre bien fumée. On sera convaincu de l'exactitude de cette observation lorsqu'on aura parcouru quelques champs, et qu'on aura comparé le nombre et le volume des jets de l'orge et de l'ivraie avec ceux du brome seiglin. Ensuite, la précocité, qui est un autre point non moins important, est aussi à l'avantage de l'ivraie d'Italie et de l'orge commune.

Il peut donner 15,897 kil. de foin, contenant 1.52 p. c. d'azote.

BROME MOU (BROMUS MOLLIS L.)

(Flam. *Zachte dravik*; Angl. *Soft Brome-grass*; Allem. *Weiche Trespe*.)

Caractères spécifiques. — Paillettes à 3-5 nervures ou plus ; paléole interne sensiblement plus courte que l'externe qui a les bords anguleux ; gaines pubescentes ou poilues ; chaume ordinairement pubescent ou poilu sous la panicule. Annuel et bisannuel.

BROME ÉCHANGÉ (BROMUS COMMUTATUS SCHRAD.)

(Flam. *Verwisselde dravik*; Angl. *Exchanged Brome-grass*;
Allem. *Verwechselte-Trespe*.)

Caractères spécifiques. — Paillettes à 3-5 nervures ou plus ; paléole interne sensiblement plus courte que l'externe qui présente dans ses bords étendus un angle obtus ; gaines pubescentes ; chaume lisse ou scabre sous la panicule. Annuel et bisannuel.

BROME EN GRAPPE (BROMUS RACEMOSUS L.)

(Flam. *Tropagtige dravik*; Angl. *Smooth Brome-grass*; Allem. *Wiesen-Trespe*,
Traubenartige-Trespe.)

Caractères spécifiques. — Paillette à 3-5 nervures ou plus ; paléole interne sensiblement plus courte que l'externe qui a ses bords ovalaires ; gaines pubescentes ; chaume lisse ou scabre sous la panicule. Annuel et bisannuel.

Ces trois espèces sont bisannuelles : il arrive assez rarement qu'elles fleurissent l'année du semis, à moins qu'il ne soit fait de très-bonne heure.

On les trouve dans les prairies, ordinairement sur les bords et le long des fossés en plus grande abondance que partout ailleurs ; hors des prairies on les rencontre dans les endroits incultes et secs.

Ces plantes n'ont pas une grande valeur dans la culture des prairies naturelles à faucher, à cause de leur précocité, car elles sont déjà mûres à l'époque du fauchage : elles ne peuvent servir utile-

11

ment que pour former avec d'autres graminées des herbages, sur les terrains élevés, secs, argileux, pierreux, sablonneux et même dans les sables mouvants, où on peut les faire pâturer par les moutons et les grands ruminants qui en sont très-avides avant l'apparition des chaumes.

Ils fournissent :

	En vert.	En foin.	Mat. nutrit. pour 10,000 parties.
A la floraison.	10,138	5,064	469
A la maturité.	2,532	1,596	

On sème 50 kilogr. de graines à l'hectare.

Énodie.

Caractères génériques. — Locustes à trois fleurons non involucellés dont le supérieur stérile; glume plus courte que la locuste; paléoles mutiques; l'extérieur convexe, demi-cylindrique, ovale, aiguë; styles terminaux; stigmates sortant sur la base des fleurons; tige à nœuds très-rapprochés à la base, et portant 2-4 feuilles, la gaine de la feuille inférieure recouvrant les nœuds et les gaines des autres feuilles.

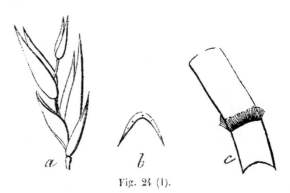

Fig. 24 (1).

(1) *a* Locuste d'*énodie bleue*; *b* coupe de la paléole externe; *c* portion de feuille avec la ligule pileuse.

ÉNODIE BLEUE (ENODIUM COERULEUM P. D. B.)

(Flam. *Blauw Zonder knoopgras, pypkoteraer* ; Angl. *Purple Melickhras* ;
Allem. *Blauw perlgras, Flunkerbart.*)

Caractères spécifiques. — Paléole externe à 5 nervures. Ligule pileuse. Vivace. Fleurit avec 2780° de chaleur.

L'énodie bleue se rencontre dans les endroits humides, ombragés, dans les terrains argileux, glaiseux et argilo-sablonneux, inondés pendant l'hiver.

Tous les ruminants et les petits animaux domestiques en aiment les fascicules avant la floraison, et n'y touchent plus lorsque la panicule est développée.

Nous avons vu précédemment que l'on considérait la crételle comme influant en mal sur la qualité de la laine, qu'elle rend grossière ; nous avons révoqué en doute cette influence, quant à la crételle qui s'établit de préférence sur les sols sains et fertiles ; il n'en est pas de même à l'égard de l'énodie qui végète de préférence dans les sols forts et humides ; car le régime de l'énodie est reconnu comme nuisible aux moutons ; aussi ne peut-on conseiller de la faire entrer dans la composition des prairies ou des pâturages.

Elle donne :

	En vert.	En foin.	Mat. nutrit. pour 10,000.	Azote pour 100 foin.
A la floraison.	6,960	2,610	234	0.98
A la maturité.	6,330	3,165	234	0.98

Brize.

Caractères génériques.—Locustes à 5-3 fleurons ; paléoles mutiques, l'extérieure suborbiculaire, comprimée, convexe, cordée à la base, arrondie au sommet ; styles terminaux ; stigmates 2, plumeux à divisions primaires, ramifiées.

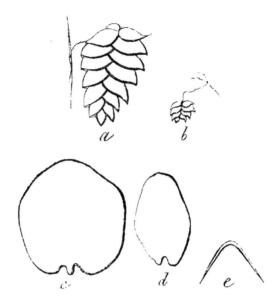

Fig. 25 (1).

BRIZE MOYENNE (BRIZA MEDIA L.)

(Flam. *Siddergras*, *Beefgras*. *Trilgras*; Angl. *Common Quaking-gras*;
Allem. *Gemeines Zittergras*.)

Caractères spécifiques. — Panicule rameuse; ligule courte.
Vivace. Fleurit avec 1516° de chaleur.

(1) *a* Locuste de *brize* à *gros épillets*; *b* locuste de la *brize moyenne*;
c paléole externe étendue; *d* paléole externe vue de profil; *e* coupe de
la paléole externe.

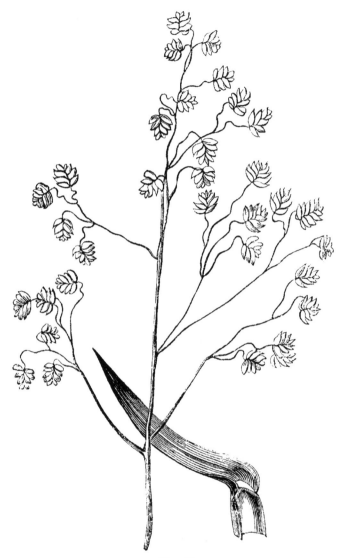

Fig. 26.
Brize moyenne.

De toutes les graminées indigènes, il n'y en a pas qui offre un port plus élégant que la brize moyenne qui mérite si bien le nom d'amourette que le vulgaire lui a imposé. Elle craint l'ombre, s'accommode de tous les terrains, mais principalement des sols graveleux, et exposés au vent, ou bien aérés ; ses feuilles courtes en font une plante de pâture très-recherchée par les moutons, aussi l'associe-t-on à la fétuque ovine, durette, etc., dans les terrains secs, sablonneux et pierreux ; dans ces conditions, elle contient beaucoup plus de matières nutritives que ses congénères.

Les terrains fertiles fumés ne lui sont pas très-avantageux, c'est pourquoi elle n'entre pas dans la composition des prairies fraîches fertiles, malgré l'avis de quelques agronomes anglais et italiens.

La brize moyenne constitue un fourrage succulent et savoureux.

Elle donne :

	En vert.	En foin.	Azote pour 100 foin.
A la floraison.	8,862 kil.	2,880 kil.	1.39
	8,865 »	3,102 »	
Regain.	7,593 »		

Glycérie.

Caractères génériques. — Locustes à 4-12 fleurons non involucellés ; glume plus courte que la locuste ; paléole externe convexe, demi-cylindrique, oblongue, tronquée ou obtuse, arrondie au sommet ; styles terminaux.

GLYCÉRIE AQUATIQUE (GLYCERIA AQUATICA M. ET K.)

(Flam. *Water Zoetgras* ; Angl. *Reedy Sweet grass* ; Allem. *Wasser Mannagras*.)

Caractères spécifiques. — Panicule régulière, ample ; locustes arrondies, oblongues, à 5-9 fleurons ; paléole externe à 7-9 nervures. Vivace. Fleurit avec 2098° de chaleur.

La glycérie aquatique, indigène dans tout le
nord de l'Europe, au Caucase, en Sibérie, en
Australie et dans l'Amérique septentrionale, est

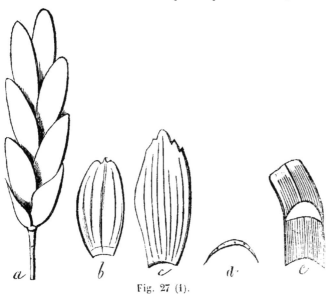

Fig. 27 (1).

une belle et grande espèce, atteignant 12 à 20 décimètres, qui abonde dans les fossés, les étangs
et partout, quel que soit le terrain, où sa souche
est couverte d'eau ou d'une couche de terre très-
humide. Cette graminée devrait partout remplacer
les plantes marécageuses inutiles.

Elle plait dans sa jeunesse aux chevaux et aux
bêtes à cornes ; ses feuilles et ses rejets stériles durcissent assez promptement et demandent à être
fauchés de bonne heure, avant que les chaumes

aient développé leurs panicules. Dans les terres
humides, marécageuses, elle peut fournir deux
coupes abondantes, que l'on donne en vert ou que
l'on fane ; elle contient une forte proportion de
matières sucrées, et constitue un fourrage des plus
nutritifs ; pour en tirer le meilleur parti, il convient de la hacher ou couper comme la paille.

En Angleterre, et notamment dans l'île d'Ely,
on en forme des prairies, qui produisent un fourrage abondant, tendre et succulent.

Elle peut donner :

	En vert.	En foin.	Mat. nutrit. pour 10,000.	Azote pour 100 foin.
A la floraison.	11,7758	70,655	590	0.55
A la maturité.	11,3847	56,973	590	

On sème 25 kilogr. de graines à l'hectare.

GLYCÉRIE FLOTTANTE (GLYCERIA FLUITANS R. BR.)

(Flam. *Vlottend Zoetgras, Mannagras;* Angl. *Floating Sweetgrass;*
Allem. *Gemeines Mannagras.*)

Caractères spécifiques. — Panicule longue, effilée, unilatérale ou
presque unilatérale ; locustes oblongues-linéaires à 8-15 fleurons ;
paléole externe à 7-9 nervures. Vivace. Fleurit avec 2098° de chaleur.

Cette espèce comme la précédente croit partout
en Europe, au Caucase, en Sibérie, dans l'Amérique septentrionale, au Chili et en Australie, le
long des rivières et ruisseaux, des mares, des
fossés et dans tous les terrains marécageux ou
inondés pendant une partie de l'année.

Il n'est pas de graminée que les chevaux recherchent plus que la glycérie flottante. Aussi ses
feuilles et ses chaumes contiennent-ils une grande
quantité de matières sucrées qui transsudent pendant les jours les plus chauds et se déposent sous

la forme de taches et de stries bru-
nâtres à la surface du chaume, vers
le sommet, et sur les divisions de
la panicule.

Elle fournit un fourrage abondant, tendre et succulent.

Le grain de cette espèce est très-
recherché par les oiseaux aquatiques
et les poissons. Dans certains pays
et notamment en Pologne, on le destine à divers usages économiques,
et on en fait du gruau qui est très-
estimé.

Quelques auteurs considèrent cette
plante comme peu nutritive, et estiment qu'elle ne contient, sur 10,000
parties, que 273 parties de matières
alibiles ; d'autres lui attribuent une
forte proportion de matières alimentaires, attendu que de toutes les graminées la glycérie flottante et l'hiérochloé boréale contiennent le plus
d'azote. En effet, 100 parties de foin
normal contiennent 1,95 d'azote.

Les essais pratiques prouvent que
cette plante possède des propriétés
qui méritent d'être prises en considération par les éleveurs.

Elle donne : en vert, 15,310 kil.;
en foin, 4,595 kilog.

La récolte de la semence se fait à
la fin de l'été, en frappant avec des
baguettes les locustes au-dessus d'un
tamis.

Fig. 28.
Glycérie flottante.

On la multiplie au moyen de se-

mis ou de fragments de rhizomes ; le semis se fait
très-clair, à cause des nombreux rejets qu'elle
émet dès la première année.

GLYCÉRIE DISTANTE (GLYCERIA DISTANS WAHL.)

(Flam. *Afstaende Zoetgras* ; Angl. *Reflexed Sweet-grass* ; Allem. *Abstehendes
Zuchergras.*)

Caractères spécifiques. — Panicule à rameaux inférieurs disposés par
5-7 ; paléole externe à 4-5 nervures, obtuse, subtronquée ; feuilles
planes. Vivace. Fleurit avec 1988° de chaleur.

GLYCÉRIE MARITIME (GLYCERIA MARITIMA M. ET K.)

(Flam. *Zee Zoetgras* ; Angl. *Creeping Sea Sweet-grass* ; Allem. *Zee Zuckergras.*)

Caractères spécifiques. — Panicule à rameaux inférieurs disposés
par 2-5 ; paléole externe à 4-5 nervures, un peu obtuse ; feuilles plus
ou moins roulées en gouttière ou pliées. Vivace. Fleurit avec 1988° de
chaleur.

Ces deux espèces croissent en Europe, au Caucase et en Sibérie dans les sables maritimes et
dans les prés sablonneux qui sont inondés de
temps à autre par les eaux de la mer, et dans l'in-
térieur du pays où il existe des sources d'eaux mi-
nérales salines.

Elles sont recherchées par tous les bestiaux, et
donnent une grande quantité de fourrage excellent
pour être consommé en vert ; elles ne conviennent
guère à être fanées à cause des difficultés que l'on
éprouve dans leur dessiccation.

Elles donnent à la floraison en vert, 15,132 kil. ;
en foin, 5,512 kil., contenant 1.88 d'azote, pour
100 parties de foin.

Dactyle.

Caractères génériques. — Locustes courbées-concaves à 5-8 fleurons non involucellés ; glume plus courte que la locuste ; paillettes

comprimées, carénées, à côtés inégaux; paléole externe carénée, munie d'une arête terminale courte; stigmates sortant vers la base du fleuron; panicule unilatérale composée de glomérules de locustes compactes, unilatéraux.

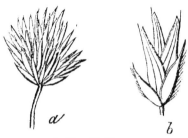

Fig. 29 (1).

DACTYLE PELOTONNÉ (DACTYLIS GLOMERATA L.)

(Flam. *Ruyghondsgras, Gemeine Kropaer;* Angl. *Cocksfoot grass;* Allem. *Gemeines Knaulgras.*)

Caractères spécifiques. — Locustes à 3-4 fleurons; rameaux de la panicule nus à la base. Vivace. Fleurit avec 1516° de chaleur.

Le dactyle pelotonné, indigène en Europe, au Caucase et dans l'Amérique septentrionale, se rencontre sur tous les terrains, mais recherche de préférence les sols frais, substantiels un peu ombragés; elle vient aussi bien dans les expositions chaudes que dans les expositions froides dont l'influence se traduit par un port particulier de l'inflorescence.

Cette plante, essentiellement rustique, a soulevé contre elle des objections qui ne sont que relatives; les uns considérant son mode de végétation en grosses touffes, lui ont refusé toute espèce d'utilité pour la formation des prairies, et ont même pré-

(1) *a* Glomérule de locustes du dactyle pelotonné; *b* locuste du même.

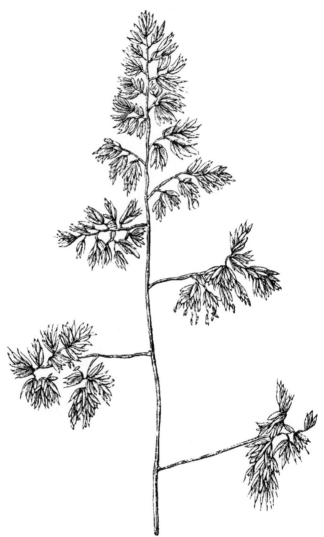

Fig. 50.

Dactyle pelotonné.

tendu que le bétail ne la mange qu'à défaut d'autre
herbe, et qu'elle faisait dépérir autour d'elle les autres
graminées ; d'autres prétendent que le dactyle pelotonné constitue, à la fois, la graminée la plus savoureuse et la plus utile de toutes celles qui abondent
dans les prairies, non-seulement à cause de sa précocité et de sa tardiveté mais aussi de sa nutritivité.

Ces deux opinions comptent de nombreux parti-
sans, quoique ni l'une ni l'autre soit rationnelle ou
admissible.

Les reproches qu'on a faits au dactyle sont de
beaucoup exagérés ; examinons dans quelles circonstances il peut être utile et quelles sont celles
qui lui sont défavorables.

Par son mode de végétation, cette plante appartient à la catégorie des graminées à souche longuement cespiteuse et à feuilles et chaumes
inclinés ; mais la culture modifie singulièrement
ces propriétés ; si les prairies sont appelées à être
fauchées et si le tapis de verdure n'est pas serré et
solidement engazonné, le dactyle pelotonné ne peut
être envisagé que comme d'une médiocre utilité ;
dans les conditions contraires, avec un gazon bien
serré et bien établi, le dactyle constitue une très-
bonne graminée.

Si la prairie doit servir de pâturage, le gazon
étant bien serré sur un terrain argilo-sablonneux,
frais, le dactyle pelotonné est une des meilleures
graminées qui puissent y croître ; les bêtes bo-
vines et les moutons peuvent la pâturer et la tenir
rase, au fur et à mesure de la croissance des
herbes, car elle repousse sous la dent du bétail
qu'elle engraisse vite, depuis le mois d'avril jusqu'à
l'entrée de l'hiver, où elle fournit alors un fourrage
succulent pour les moutons.

12

Pour la formation des prairies temporaires, on le sème en mélange avec d'autres plantes ou seul.

L'illustre directeur de l'institut de Hohenheim, le conseiller Schwerz, recommande à cet effet de lui associer le raigrass des Anglais ou le vulpin des prés et le trèfle rouge, si on doit le faucher. D'autres ont été conduits après de nombreux essais à le recommander en mélange avec l'une des espèces suivantes, à raison d'un tiers en poids de la semence :

Paturin des prés.
— trivial.
Fléole des prés.
Ivraie vivace.
Arrhénathère fausse avoine.
Cynosure crételle.

Ils y ajoutent du trèfle rouge ou rampant, ou bien ils font un mélange de plusieurs de ces espèces.

Si le dactyle forme à lui seul la prairie, il exige un sol argilo-sablonneux frais, et doit être semé dru; par là, l'herbage sera moins rude, plus fin et les chaumes infiniment plus tendres. La quantité et la qualité seront supérieures par une fumure ou par l'application d'engrais quelconques.

Le dactyle fournit un excellent fourrage que les bœufs mangent avec avidité jusqu'à l'époque de sa maturité; les chevaux et les moutons en aiment la pâture avant le durcissement des tiges.

Il rend :

	En vert.	En foin.	Mat. nutritives pour 10,000 part.	Azote pour 100 foin.
A la floraison.	32,785 kil.	14,444	590	0.85
A la maturité.	55,422 »	17,711	546	
Regain sec. .		5,446	234	

On emploie 40 à 55 kil. de semence à l'hectare.

Paturin.

Caractères génériques. — Locustes à 3-10 fleurons ; scobine fragile se partageant en articles qui se détachent avec les fleurons ; glume plus courte que la locuste ; paléole inférieure comprimée-carénée, aiguë, à 5 nervures ; stigmates terminaux, sessiles ou subsessiles, sortant vers la base des fleurons ; panicule à rameaux étalés ou dressés.

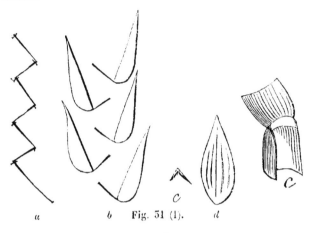

Fig. 31 (1).

PATURIN ANNUEL (POA ANNUA L.)

(Flam. *Jarig bemdgras ;* Angl. *Annual Meadow grass ;* Allem. *Jahriges Rispengras.*

Caractères spécifiques.—Panicule à rameaux solitaires ou géminés ; paléole externe glabre ; gaine de la feuille supérieure plus longue que le limbe ; plante annuelle cespiteuse non bulbeuse.

Le paturin annuel, indigène en Europe, au Caucase, en Sibérie, dans l'Afrique occidentale et septentrionale, dans l'Amérique boréale et méridionale et les îles Macloviennes, est cette graminée

(1) *a* Scobine entière ; *b* fleurons munis chacun d'une portion de la scobine ; *c* coupe de la paléole externe ; *d* paléole externe ; *e* portion de feuille munie de sa ligule membraneuse.

dont le tableau a été tracé avec tant de vérité par Poiret. Elle se rencontre partout, dans les terrains

Fig. 52.
Paturin annuel.

incultes ou cultivés, dans les villages, le long des routes, dans les rues peu fréquentées, entre les pavés des cours, où elle est d'ailleurs si difficile à détruire, où elle ne cesse de se multiplier, quoique piétinée, broutée, arrachée; elle ne craint ni les froids du Nord, ni les chaleurs du Midi; elle forme des touffes très-étendues, fleurit et fructifie en tout temps, même dans l'hiver, lorsqu'il ne gèle pas; elle offre le spectacle intéressant de la végétation luttant contre l'intempérie des saisons, contre les efforts de l'homme pour la détruire, lorsqu'elle cesse de lui être utile; elle couvre, en peu de temps, d'une belle verdure, les sols stériles et abandonnés. Si les longues sécheresses l'altèrent, les moindres pluies la raniment; si les neiges la recouvrent, à leur fonte, elle reparaît au milieu des frimas comme une tenture qui masque à nos regards la nudité de la terre.

Elle fournit aux troupeaux, malgré la rigueur de la saison, un pâturage d'une excellente qualité.

Elle donne, à la floraison : en vert, 5,064 kilog.; en foin, 1,773 kil. contenant pour 10,000 parties, 390 parties de matières nutritives.

On emploie de 20 à 25 kilog. de grains à l'hectare.

PATURIN DES ALPES (POA ALPINA L.)

(Flam. *Alpens bemdgras*; Angl. *Alpens Meadow-grass*; Allem. *Alpen Rispengras*.)

Caractères spécifiques. — Panicule à rameaux solitaires ou géminés ; paléole externe pubescente ou velue à la base , sur le dos et sur les bords ; gaine de la feuille supérieure plus longue que le limbe. Plante vivace, cespiteuse non bulbeuse. Fleurit avec 1440° de chaleur.

Le paturin des Alpes, indigène en Europe, au Caucase, dans l'Amérique septentrionale et les îles Macloviennes, aime les terrains sablonneux, calcaires, secs, élevés; il réussit aussi dans les sols fertiles loameux ou argilo-sablonneux.

Il forme des touffes denses de feuilles assez longues, trop courtes cependant pour être fauchées avec avantage; il ne peut servir qu'à former le fond

12.

des prairies. C'est, par contre, une des herbes les
plus propres pour les pàturages et les parcages élevés. Les essais faits par M. Ch. Lawson, en Écosse,
sur des montagnes arides ont donné des résultats
satisfaisants.

Le paturin précoce est très-recherché par tous
les bestiaux. Le lait des vaches et des chèvres en
acquiert des qualités butyreuses remarquables et
un bon goût.

PATURIN DES BOIS (POA NEMORALIS L.)

(Flam. *Bosch Beemdgras;* Angl. *Wood Meadow-grass;* Allem. *Wald Rispengras.*)

Caractères spécifiques. — Panicule à rameaux inférieurs disposés
par 3-5, rarement par 2 ; gaine de la feuille supérieure plus courte
que le limbe ; ligule très-courte, presque nulle; souche cespiteuse
et à rhizomes peu traçants ; tiges presque cylindriques. Vivace.
Fleurit avec 1595° de chaleur.

Cette espèce, indigène en Europe, au Caucase,
en Sibérie, au Kamtschatka et dans l'Amérique
septentrionale, aime les lieux secs ou humides ombragés à sols argilo-sablonneux non submergés,
sans craindre toutefois les lieux découverts. C'est
une graminée très-précoce, délicate et succulente,
qui donne, dans les terrains frais et riches, une
récolte assez satisfaisante, eu égard à l'époque à
laquelle elle a lieu; elle donne dès le mois de mars
une herbe fine d'autant plus longue et nutritive que
le sol lui convient mieux ; elle ne se sème pas dans
les prairies irrigables à moins qu'elles ne soient
ombragées. Comme elle ne fournit pas le fond, on
l'associe à des espèces gazonnantes.

Elle donne à la floraison : en vert, 8,544 kilog.,
et, en foin, 4,144 kilog., contenant, pour 10,000
parties, 625 parties de substances nutritives.

On sème 50 à 55 kilog. de graines à l'hectare.

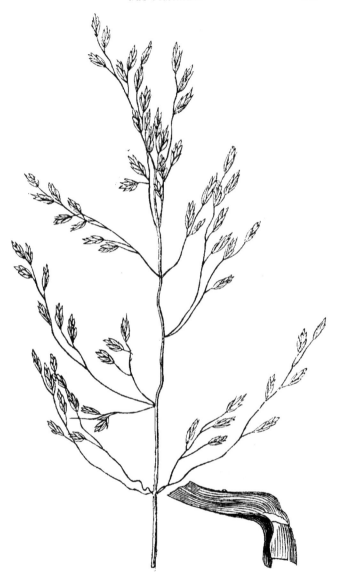

Fig. 53.
Paturin des bois.

PATURIN FERTILE (POA FERTILIS HOST.)

(Flam. *Laet bemdgras;* Angl. *Fertile Meadow-grass;* Allem. *Spates Rispengras.*)

Caractères spécifiques. — Panicule à rameaux inférieurs disposés par 5-7 ; gaine de la feuille supérieure plus courte que le limbe ; ligule de la feuille supérieure oblongue, aiguë. Souche cespiteuse. Vivace. Fleurit avec 1444° de chaleur.

Le paturin fertile, qui a été considéré comme une variété du précédent, aime les lieux humides des bois, forme des touffes assez serrées, fournit un fourrage délicat qui plait à tous les bestiaux, et est plus tardif que le paturin des bois.

Il donne à la floraison : en vert, 14,562 kilog.,et, en foin, 7,419 kilog., contenant, pour 10,000 parties, 750 parties de matières nutritives. Le chiffre du regain monte à 4,431 kilog. ; il est plus riche en principes nutritifs que le foin, ce qui s'explique par la végétation active et non interrompue des feuilles et des tiges qui développent sans discontinuer des fascicules fleuries jusqu'en automne.

Cette espèce est beaucoup plus vigoureuse quand elle est associée à d'autres espèces qu'en touffes isolées.

L'emblavement d'un hectare demande 50 à 55 kilog. de graine.

PATURIN COMMUN (POA TRIVIALIS L.)

(Flam. *Gemeen bemdgras ;* Angl. *Roughish Meadow-grass ;* Allem. *Gemeines Rispengras.*)

Caractères spécifiques. — Panicule à rameaux inférieurs disposés par 5-7 ; gaine de la feuille supérieure plus longue que le limbe ; ligule de la feuille supérieure oblongue, aiguë ; souche cespiteuse. Vivace. Fleurit avec 1204° de chaleur.

Le paturin commun, indigène en Europe, au

Fig. 54
Paturin fertile.

Fig. 35.
Paturin commun.

Caucase, en Sibérie, au Japon et dans l'Amérique septentrionale, croît abondamment dans les prés, les haies, les fossés humides, et préfère les terrains frais, substantiels et un peu abrités. Les terrains froids et secs sont pour lui des causes de dépérissement.

Il est recherché par le bétail, aussi bien en vert qu'en sec, et fournit un fourrage meilleur et un foin de première qualité.

Le paturin commun forme la base des meilleures prairies.

En France, en Allemagne, en Angleterre et en Belgique, où il se trouve ordinairement mêlé à des espèces qui sont plus tardives, lorsqu'on veut l'avoir avec toutes ses qualités, le fauchage doit se faire aussitôt que possible et dès après la floraison, car il ne tarde pas à jaunir et à se dessécher. Dans les prés du comté de Willshire, en Angleterre, il atteint la hauteur gigantesque de vingt-deux pieds anglais. En Belgique, il mesure souvent, dans les bonnes prairies irriguées ou submergibles, de 11 à 19 décimètres. Dans les prairies des polders, on le voit quelquefois atteindre deux mètres et demi de hauteur.

Il donne :

	En vert.	En foin.	Mat. nutrit. pour 10,000 parties.	Azote pour 100 foin.
A la floraison {	de 6,960 kil.	2,091	566	1.60
	à 8,423 »	2,527		
A la maturité.	7,278 »	5,276	469	
Regain. . . .	4,451 »	1,650		

On emploie 20 à 25 kilog. de semence à l'hectare.

PATURIN DES PRÉS (POA PRATENSIS L.)

(Flam. *Veld bemdgras ; Angl. Smooth meadow-grass; Allem. Wiesen Rispengras.*)

Caractères spécifiques. — Panicule à rameaux inférieurs disposés par 3-7 ; gaine de la feuille supérieure plus longue que le limbe ; ligule courte, tronquée ; souche à rhizomes longuement traçants ; tiges cylindriques. Vivace. Fleurit avec 1055° de chaleur.

Cette espèce, indigène en Europe, au Caucase et en Sibérie, se rencontre beaucoup le long des chemins et dans les prés dont elle forme souvent la base.

Le paturin des prés aime, de préférence à tout autre, un sol fertile, gras et humide, sans se refuser de croître sur les terrains secs non arrosés ; mais le produit est en raison directe d'un certain degré d'humidité et de la fécondité du sol.

Dans de bonnes conditions, il donne un rendement très-satisfaisant. Il entre dans les mélanges pour la formation des prairies permanentes ; on le sème aussi seul ou avec d'autres plantes pour la formation des prairies temporaires.

Le paturin des prés est précoce, mais ne contient pas une forte proportion de matières nutritives, ce qui ne permet pas de le ranger parmi les meilleures graminées fourragères. Cependant, il est recherché par le bétail, qui le mange avec avidité ; le foin, qui en contient beaucoup, est fin et délicat.

Dès la mi-avril, il a repris sa croissance, et sa souche émet de nombreuses fascicules de feuilles serrées et succulentes d'où s'élèvent des chaumes que le bétail aime beaucoup.

Cette espèce résiste mieux que bien d'autres à un haut degré de sécheresse et est de longue durée, ce qui la rend précieuse dans les terres sablonneuses

Fig. 36.
Paturin des prés.

un peu sèches. Son foin possède une belle couleur et une odeur agréable.

Le paturin des prés entre dans presque tous les pâturages à cause de sa prompte repousse. On en fait, en Angleterre, des prairies temporaires, mais ses rhizomes longuement traçants et son mode de végétation ne semblent pas de nature à engager les praticulteurs à suivre cet exemple.

Il donne :

	En vert. kilogr.	En foin. kilogr.	Mat. nutrit. pour 10,000 parties.	Azote pour 100 foin.
A la floraison { de	9,495	2,670	273	1.03
à	10,850	3,255	273	1.03
A la maturité.	8,011	5,165	187	
Regain. . . .	3,798	1,580		

L'emblavement d'un hectare exige de 20 à 35 kilogrammes de graines.

Catabrose.

Caractères génériques. — Locustes à 2-3 fleurons hermaphrodites, l'inférieur sessile, le supérieur longuement pédicellé ; glume plus courte que la locuste ; paléole inférieure mutique, trigone, carénée, tronquée, denticulée ; panicule rameuse ; plante aquatique radicante.

Fig. 37 (1).

(1) Locuste étalée du catabrose aquatique.

CATABROSE AQUATIQUE (CATABROSA AQUATICA P. D. B.)

(Flam. *water windhalm;* Angl. *water Hair-grass;* Allem. *Quellen Sutsgras.*)

Caractères spécifiques. — Panicule égale, diffuse ; locustes linéaires, la plupart biflores : fleurons obtus ; paléole externe à trois nervures saillantes. Plante aquatique, radicante. Vivace. Fleurit avec 1242° de chaleur.

La catabrose aquatique, indigène en Europe, au Caucase, en Sibérie et dans l'Amérique septentrionale, est une graminée des lieux aquatiques et marécageux. On peut la semer sur les prés humides où elle se propage aux dépens des mousses et autres plantes adventices. Elle fournit un fourrage succulent, tendre et très-agréable au bétail, et paraît exercer une influence très-avantageuse sur la qualité du lait des vaches; convertie en foin, le bétail la rebute.

Elle donne à la floraison : en vert, 10,128 kilog.; en foin, 5,059 kilog., contenant sur 10,000, 551 parties de matières nutritives ; sa teneur en azote est de 1,27 p. c. de foin normal.

On se procure la semence en coupant les fascicules huit à dix jours après la floraison. On en sème 20 à 25 kilog. à l'hectare.

Roseau.

Caractères génériques. — Locustes à 3-6 fleurons un peu espacés, quelquefois à un fleuron ; glume plus courte que la locuste ; fleuron inférieur mâle non involucellé, les autres entourés d'un involucelle de longs poils. Styles terminaux, à stigmates sortant vers la partie moyenne de la glumelle. Panicule rameuse. (Fig. 58.)

ROSEAU A BALAIS (ARUNDO PHRAGMITES L.)

(Flam. *Dak Riet;* Angl. *Common Reed ;* Allem. *Gemeines Rohr.*)

Caractères spécifiques. — Panicule à rameaux épars, diffus : locustes violacées ou roussâtres. Vivace, Fleurit avec 5020° de chaleur.

Nous ne mentionnons ici cette espèce que parce
que quelques agronomes la considèrent comme une

Fig. 38 (1).

bonne plante fourragère; sans lui contester jusqu'à un certain point cette propriété, nous aimons
mieux la ranger parmi les plantes industrielles, où
elle a infiniment plus de valeur.

Kœlérie.

Caractères génériques.— Locustes à 2-5 fleurons, comprimées latéralement ; fleuron supérieur fertile ; glume embrassant presque complétement la locuste. Paillette inférieure plus petite que l'autre.
Paléole externe carénée, mutique ou courtement aristée ; stigmates
sortant vers la base du fleuron. Panicule spiciforme. (Fig. 39.)

KOELÉRIE CRÊTÉE (KOELERIA CRISTATA PERS.)

(Flam. *Gekamde Kœlerie.* Angl. *Crested Hair-grass.* Allem. *Kammige Kolerie.*)

Caractères spécifiques. — Panicule spiciforme, quelquefois interrompue à la base, glabrinscule ; locustes à 3-4 fleurons aigus ;
feuilles planes, les inférieures ciliées-pubescentes; chaume glabre.
Vivace. Fleurit avec 1699° de chaleur.

(1) Locuste de roseau à balais.

Cette plante, indigène en Europe, au Caucase et en Sibérie, aime les endroits secs, sablonneux,

Fig. 59 (1).

calcaires, les dunes et tous les sols volcaniques. Elle plaît à tous les bestiaux, repousse facilement et fait, à juste titre, partie de certaines pâtures sèches. Lorsque la souche commence à vieillir, elle forme des touffes grosses et saillantes auxquelles les animaux ne touchent qu'au printemps.

Elle donne jusqu'à 5,500 kilog. de foin, contenant pour 100 de foin normal, 0.54 d'azote.

Seslérie.

Caractères génériques. — Locustes à 2-5 fleurons, comprimées latéralement ; glume très-grande embrassant presque complétement la locuste. Paléole externe carénée, mucronée-aristée, souvent 5-5 dentée à dents mucronées; stigmates filiformes sortant au sommet du fleuron. (Fig. 40.)

SESLÉRIE BLEUE (SESLERIA COERULEA ARD.)

(Flam. *Blauwagtige seslerie.* Angl. *Blue Moor-grass.*)

Caractères spécifiques. — Panicule spiciforme, compacte ou faux épi, ovale, oblong, presque unilatéral; locustes à 2-5 fleurons ; arêtes ne dépassant pas la glume ; feuilles linéaires ; gaine entière, non fendue. Vivace. Fleurit avec 410° de chaleur.

(1) *a* Locuste de kœlérie crêtée ; *b* coupe de la paléole externe ; *c* organes sexuels de la même, présentant en outre à leur base les paléolules.

La seslérie bleue, indigène en Europe, est commune dans les lieux élevés, où elle prospère dans

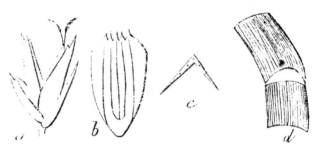

Fig. 40 (1).

les terrains maigres et rocailleux, pour autant qu'elle y trouve un peu d'humidité. Sa précocité la rend précieuse dans les localités montagneuses, où les moutons peuvent la brouter immédiatement après la fonte des neiges ; elle n'est pas propre au fauchage.

Tribu des Avénacées.

Locustes à deux ou plusieurs fleurons fertiles, pédonculées et disposées en panicule étalée ou spiciforme ; glume embrassant presque complétement la locuste. Une paléole au moins de chaque locuste munie d'une arête basilaire, dorsale ou épidorsale qui est tortillée ou genouillée.

Avoine.

Caractères génériques. — Paléole externe du fleuron inférieur bidentée, bifide ou biaristée au sommet, munie d'une arête non claviforme, insérée vers le milieu de sa hauteur ou plus haut. (F. 41.)

(1) *a* Locuste de seslérie bleue, grossie ; *b* paléole externe de la même ; *c* coupe de la paléole externe ; *d* portion de feuille avec sa ligule membraneuse.

AVOINE CULTIVÉE (AVENA SATIVA L.)

(Flam. *Gemeene haver*, Angl. *Common oat*, Allem. *Gemeines hafer*)

Caractères spécifiques. — Locustes pendantes à 2-3 fleurons; paléole externe glabre ou hérissée de quelques poils rares ; scobine glabre. Panicule régulière. Annuelle. Fleurit avec 1450° de chaleur.

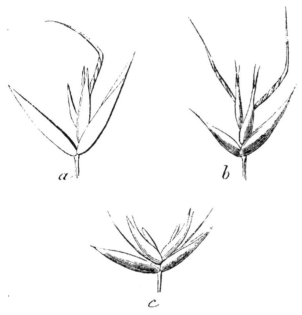

Fig. 41 (1).

L'avoine cultivée paraît avoir été trouvée à l'état sauvage dans l'île **Juan-Fernandez** par le capitaine **Anson**, et, en Perse, par le voyageur **Olivier** ; mais aucun document historique et authentique ne nous a été transmis à cet égard.

(1) *a* Locuste d'avoine cultivée ; *b* locuste d'avoine élancée ; *c* locuste d'avoine précoce.

Fig. 42 (1).

(1) *a* Locuste d'avoine cultivée ; *b* locuste d'avoine élancée ; *c* locuste d'avoine courte ; *d* locuste d'avoine folle ; *e* locuste d'avoine stérile.

L'avoine, comme l'orge et le seigle, donne un fourrage vert très-abondant qui est du goût de tous les animaux, ce qui ne doit pas surprendre; car les feuilles et les jeunes tiges contiennent une forte proportion de matières sucrées, qui exercent une influence très-favorable sur la sécrétion laiteuse. Il n'y a que les frais de culture qui peuvent détourner le praticien de la culture de l'avoine fourragère. Cependant, elle n'est pas tout à fait négligée; mais, au lieu de la semer seule, on lui associe quelques plantes de la famille des trèfles, telles que les pois, les vesces, les gesses, qui fournissent un fourrage aussi abondant que sain, que l'on fauche vers l'époque de la floraison.

L'avoine, qui mûrit sur pied, fournit, comme on sait, à l'économie rurale sa paille. Quelques agronomes croient qu'elle est à celle du froment cultivé comme 574 est à 235 ou comme 160 est à 100; M. Rieffel admet le rapport de 110 à 100.

La paille doit être d'un jaune doré ou d'un blanc jaunâtre luisant, ne présenter aucune teinte grisâtre ou noirâtre, et être privée de toute odeur désagréable. On la donne aux bestiaux sans être coupée.

La paille d'avoine, consommée en grande quantité, communique au beurre et au lait une légère amertume; il en est de même des pailles d'orge et de seigle.

AVOINE COURTE (AVENA BREVIS ROTH.)

(Flam. *Korte haver;* Angl. *Short oat;* Allem. *Kurze haver.*)

Caractères spécifiques. — Locustes pendantes à 2-3 fleurons; paléole externe glabre ou hérissée de quelques poils rares, bidentée; scobine glabre. Panicule presque unilatérale. Annuelle. Fleurit avec 1420° de chaleur.

L'avoine courte, indigène en Germanie, en Au-

triche et en Pannonie, remplace avantageusement
l'avoine cultivée dans les localités maigres et peu
fertiles, où elle récompense le cultivateur par un
fourrage appétissant et abondant. Dans les bonnes
terres, il n'est pas rare de la voir prendre une élévation de deux mètres; en mélange avec des légumineuses, elle donne un rendement plus abondant
et de meilleure qualité.

AVOINE DES PRÉS (AVENA PRATENSIS L.)

(Flam. *Weide haver;* Angl. *Narrow-baved Oat-grass,*
Allem. *wiesen-haver.*)

Caractères spécifiques. — Panicule à rameaux portant 1-5 locustes
qui sont dressées, non pendantes, à 4-8 fleurons; paillettes à 1-5 nervures; scabine chargée de poils courts; ovaire poilu. Vivace. Fleurit
avec 1240° de chaleur.

L'avoine des prés, indigène en Europe et en Sibérie, se rencontre assez fréquemment sur les sols
calcaires, secs, dans les landes sablonneuses, et se
cultive quelquefois dans les prés frais; elle devient
assez vigoureuse dans les sols fertiles.

Elle donne un fourrage qui dure très-longtemps
et que les bestiaux aiment beaucoup quand il est
jeune.

Cette plante ne donne qu'une seule coupe de
feuilles et de chaumes très-nutritifs et un regain
qu'on fait pâturer jusqu'aux premières gelées, car
sa végétation est très-tardive.

Elle donne :

	En vert. kilogr.	En foin. kilogr.	Matières nutritives pour 10,000 parties.
A la floraison { de	6,550	1,780	351
à	7,466	2,104	
A la maturité. . . .	8,862	2,658	155

AVOINE PUBESCENTE (AVENA PUBESCENS L.)

(Flam. *Zachthari, Havergras* ; Angl. *Downy oat-gras* ; Allem. *Kurzhaariges hafer.*)

Caractères spécifiques. — Panicule à rameaux portant 1-3 locustes, qui sont dressées, non pendantes, à 2-5 fleurons; paillettes à 1-3 nervures ; scobine chargée de poils qui égalent presque la moitié de la longueur du fleuron ; ovaire poilu. Vivace. Fleurit avec 1204° de chaleur.

L'avoine pubescente qui s'établit de préférence dans les terrains frais, où elle perd les poils qui la recouvrent dans les endroits secs et élevés, croît aussi très-bien dans les sols secs, sablonneux, les dunes et les terrains calcaires.

Elle plaît assez au bétail, quoique son foin soit un peu dur ; c'est une des plantes les plus productives des prés élevés qui, fauchée ou broutée, repousse rapidement.

On la sème quelquefois seule à raison de 45 à 48 kilog. de graines, mais il est préférable de lui associer quelques espèces qui croissent naturellement dans les mêmes conditions.

Elle donne :

	En vert. Kilogr.	En foin. Kilogr.	Matières nutritives pour 10,000 parties.
A la floraison { de	14,559	5,460	234
à	16,510	6,604	234
A la maturité. . .	6,350	1,266	234
Regain.	6,350		245

AVOINE JAUNATRE (AVENA FLAVESCENS L.)

(Flam. *Geel havergras* ; Angl. *Yellow oat-grass* ; Allem. *Gelblicher-hafer.*)

Caractères spécifiques. — Panicule à rameaux portant 5-8 locustes ou plus qui sont dressées, non pendantes ; paillettes à 1-3 nervures ; arête épidorsale ; ovaire glabre. Feuilles planes. Vivace. Fleurit avec 2186° de chaleur.

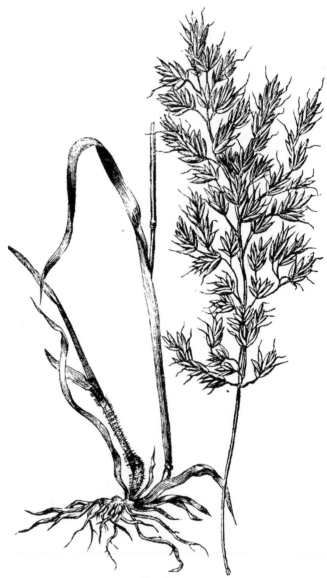

Fig. 43.
Avoine jaunâtre.

L'avoine jaunâtre est indigène en Europe, en Ibérie, au Caucase, en Sibérie, au Kamtschatka et dans l'Amérique septentrionale, où on la trouve sur les terrains en pente peu inclinée.

Elle entre dans la composition de toutes les bonnes prairies irriguées et est recherchée par le bétail à toutes les époques de son développement; les bœufs et les moutons s'en montrent surtout friands.

Cette avoine ne donne jamais un produit satisfaisant quand on la sème seule ; elle est essentiellement sociable et destinée à concourir à la formation du fond des prairies.

Elle donne : en vert, 8,460 k.; en foin, 5,205 k., contenant, pour 10,000 parties, 578 parties de matières nutritives, dont la teneur pour 100 est de 1.79 d'azote; la récolte du regain donne 5,798 kil.

On emploie 50 à 45 kilog. de graines à l'hectare.

Canche.

Caractères génériques.—Paléole externe, tronquée irrégulièrement, 5-5 dentée au sommet, donnant naissance sur son dos vers sa base à une arète presque droite ou genouillée et plus ou moins tordue dans sa partie inférieure, non claviforme.

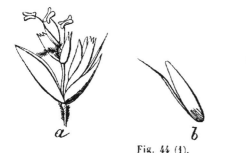

Fig. 44 (1).

(1) *a* Locuste de canche cespiteuse ; *b* paléole de la canche flexueuse ; *c* paléole de la canche cespiteuse, vue de profil.

14

CANCHE CESPITEUSE (AIRA COESPITOSA L.)

(Flam. *Veen Windhalm, Veenig rietgras* ; Angl. *Turfy hair-grass* ;
Allem. *Rasen-Schmielen.*

Caractères spécifiques. — Arête presque droite et à peine tordue à
la base, incluse, de la longueur de la paléole. Feuilles planes assez
larges. Vivace. Fleurit avec 2186° de chaleur.

La canche cespiteuse, indigène en Europe, au
Caucase, en Sibérie, à l'Unalaschka, au Kamtschatka
et peut-être aussi dans l'Amérique septentrionale,
aime les endroits humides et ombragés, où, comme
dans les taillis et les bois, elle forme des grosses
touffes qui s'élèvent au-dessus du sol.

Quant à l'espèce considérée en elle-même comme
fourrage, les auteurs et les éleveurs varient beaucoup sur sa nutritivité.

Muttaschka dit que le gros bétail et les moutons
en sont très-avides; d'après d'autres, ils la dédai-
gneraient, même à l'état de foin, lorsque l'on diffère le fanage jusqu'au développement des chaumes;
on prétend aussi que le foin de la canche cespiteuse
fait diminuer la sécrétion du lait.

Quoi qu'il en soit, les herbivores, et surtout les
moutons, la recherchent quand ses feuilles sont
jeunes. Pour en tirer le meilleur parti, on doit
donc la faire pâturer continuellement.

On ne sème pas cette graminée; on abandonne
à la nature le soin de la propager; dans les riches
prairies, il vaut mieux la détruire que de la multiplier.

Elle donne, en vert, 9,250 kil.; en foin, 3,732,
contenant, pour 10,000 parties, 312 parties de
matières nutritives; la teneur en azote pour 100
de foin est de 1.02.

CANCHE FLEXUEUSE (AIRA FLEXUOSA L.)

(Flam. *Boglige windhalm* ; Angl. *Flexuous Hair-grass* ;
Allem. *Geschlangelte schmielen*.)

Caractères spécifiques. — Arête genouillée et tordue à la base, plus longue de moitié que la paléole. Feuilles presque capillaires. Vivace. Fleurit avec 1766° de chaleur.

La canche flexueuse, indigène en Europe, au Caucase, dans l'Amérique septentrionale et dans les iles Macloviennes, affectionne les terrains secs, élevés et les lieux un peu ombragés. Elle donne un bon fourrage, trop court cependant pour être fauché ; les bœufs la paissent avec plaisir.

La canche flexueuse n'est pas plus difficile sur la nature du sol que la fétuque ovine, mais il faut qu'il soit profondément ameubli; un mélange de ces deux espèces prépare à la fertilité les terres sèches, sablonneuses et les bruyères ; elle a d'autant plus de valeur dans ces mauvaises conditions que les moutons en sont très-avides, tant en vert que sec.

Elle a donné sur une bruyère à sous-sol argileux ou glaiseux :

	En vert. kilogr.	En foin. kilogr.	Matières nutritives pour 10,000 parties.
A la floraison . . .	9,495	3,097	312
A la maturité . . .	8,862	3,524	312
Regain	2,552		273

On sème 50 à 55 kilogr. de graine à l'hectare.

Tribu des Arrhénathéracées.

Locustes à deux ou trois fleurons dont un hermaphrodite et un ou deux mâles ou neutres réduits à deux paléoles aristées au dos, à la base ou au-dessous du sommet.

Arrhénathère.

Caractères génériques. — Locustes biflores dont un fleuron mâle inférieur et l'autre hermaphrodite supérieur.

Fig. 45 (1).

ARRHÉNATHÈRE FAUSSE AVOINE (ARRHENATHERUM AVENACEUM P. D. B.)

(Flam. *Fransch raygrass;* Angl. *Oat-lik Soft-grass;* Allem. *Hoher Glatthafer.*)

Caractères spécifiques. — Feuilles planes. Vivace. Fleurit avec 1516° de chaleur.

L'arrhénathère fausse avoine, qui est généralement répandue dans toute l'Europe, tant dans les prairies que sur les berges et les talus des fossés, constitue une plante très-productive.

Elle aime un sol élevé et fertile non sujet à la stagnation des eaux et prospère parfaitement dans les prés frais et les prairies irriguées.

Cette plante présente une végétation très-lente la première année; aussi, quand on forme des prairies temporaires, convient-il de lui associer des espèces à croissance rapide, au nombre desquelles on peut signaler certaines espèces annuelles comme l'avoine ordinaire, l'orge, qui constituent pour les jeunes plantes d'arrhénathère un abri

(1) Locuste d'arrhénathère fausse avoine.

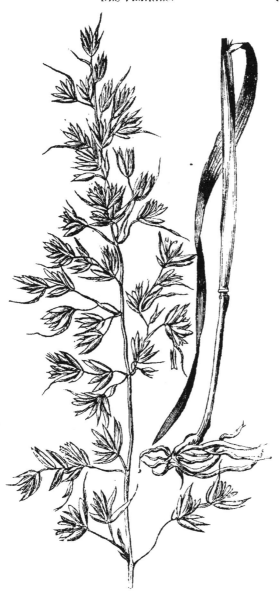

Fig. 46.
Arrhénathère fausse avoine

contre les ardeurs du soleil, et fournit, en outre, un fourrage savoureux et lactigène. A la seconde année, elle donne déjà un bon rendement qui va en augmentant jusqu'à la cinquième année.

Cette prairie peut avoir une longue durée, si on ne néglige pas d'y mettre des engrais, sinon il n'y a pas de graminée qui s'épuise plus vite.

L'arrhénathère est très-précoce et donne une première coupe de fourrage dès le mois d'avril; les deux coupes suivantes, qui forment une grande masse de nourriture, ont lieu avant la floraison; on perd alors sur le poids, mais ce que l'on perd en quantité, on le gagne en qualité.

L'arrhénathère entre dans la plupart des mélanges pour la formation de prairies permanentes et s'associe souvent, dans les prairies temporaires, à quelques légumineuses, comme les gesses, les vesces, le trèfle, etc.

Le bétail, en général, la recherche; les chevaux s'en montrent très-friands avant le durcissement des tiges.

Les éleveurs sont unanimes sur le mérite de cette graminée. M. Lecocq n'en est pas partisan. « En résumé, dit-il, c'est une plante qui produit beaucoup, qui nourrit peu, qui épuise le sol et qui est loin d'être au premier rang parmi les graminées fourragères. » Eu égard à sa valeur absolue comparée à celle d'autres fourrages, on ne saurait que rendre justice à l'observation du savant professeur et directeur du jardin botanique de Clermont-Ferrand, mais en considération du produit précoce et abondant qu'elle procure, il y avantage à la cultiver; la quantité supplée largement à la qualité, et si elle épuise un peu plus le sol que les autres, ce qui n'est pas clairement démontré, elle fournit aussi,

par contre, les matériaux à la formation de beaucoup d'engrais.

La variété bulbeuse qui attire les mulots et les
campagnols est une mauvaise plante qu'il faut se
garder de propager.

Elle donne :

	En vert. Kilo. r.	En foin. Kilogr.	Matières nutritives pour 10,000 parties.
A la floraison { de	15,825	5,954	590
à	18,705	7,500	590
A la maturité. . .	16,458	6,580	155
Regain	12,658		

On emploie de 75 à 100 kilog. de graines à l'hectare.

Houque.

Caractères génériques. — Locustes biflores dont un fleuron mâle
supérieur et l'autre hermaphrodite.

Fig. 47 (1).

HOUQUE MOLLE (HOLCUS MOLLIS L.)

(Flam. *Zacht Zorggras;* Angl. *Creeping Soft-grass;* Allem. *Weiches Honiggras*)

Caractères spécifiques. — Arête dépassant longuement la glume
souche traçante. Vivace. Fleurit avec 2186° de chaleur.

(1) Locuste de houque laineuse, grossie.

La houque molle, indigène en Europe et dans
l'Amérique boréale, affectionne les terres sablonneuses ombragées ou découvertes ; elle est pour les
terrains secs de nature sablonneuse ce qu'est le
chiendent (*triticum repens*) dans les terres argilo-
sablonneuses et compactes. Il n'est pas cependant
à dire pour cela qu'on ne trouve pas aussi la houque
dans ce genre de sols, bien s'en faut ; mais elle croit
naturellement en plus grande abondance dans les
sables.

Cette plante en terre fertile donne un rendement
considérable en foin et se range à côté des meilleures graminées sous le rapport de ses qualités
nutritives.

A côté de ses avantages, il faut aussi consigner
ses graves inconvénients : c'est sa tardiveté, le peu
de valeur de son regain, et ensuite, la presque im-
possibilité d'en obtenir un gazon uniforme.

Quelques auteurs assurent que c'est une herbe
que les animaux mangent avec répugnance, et à
défaut de toute autre, mais que ses rhizomes traçants
sont très-recherchés par le bétail et les porcs ; ils se
trompent. M. le comte de Gasparin, et ses observations sont d'accord avec les nôtres, dit que le
bétail en est très-avide.

Dans les terrains sablonneux et pauvres, la
houque molle contribue avec d'autres espèces à la
formation de très-bons pâturages. Son foin est
d'une couleur foncée.

Elle donne :

	En vert. Kilogr.	En foin. Kilogr.	Matières nutritives pour 10,000 parties.
A la floraison { de	31,650	12,627	730
à	38,582	15,313	730

A la maturité, la récolte est presque réduite à

moitié, et le fourrage ne contient plus, pour 10,000 parties, que 477 parties de matières nutritives.

On emploie de 20 à 27 kilog. de grains à l'hectare.

HOUQUE LAINEUSE (HOLCUS LANATUS L.)

(Flam. *Gewold Zorggras*; Angl. *Meadow Soft-grass*; Allem. *Wolliges Honiggras*.)

Caractères spécifiques.—Arête ne dépassant pas la glume, recourbée en hameçon ; souche cespiteuse. Vivace. Fleurit avec 1944° de chaleur.

La houque laineuse, indigène en Europe et dans l'Amérique septentrionale, se trouve dans les terrains sablonneux, argileux et glaiseux.

Dans les terrains argilo-sablonneux, fertiles, cette plante fournit une grande quantité de feuilles et de chaumes, qui repoussent promptement lorsqu'ils ont été broutés ou fauchés.

On l'a recommandée pour la formation des prairies temporaires sans aucun mélange. Cette culture est avantageuse dans les terres très-riches, mais le semis doit se faire dru, et le fauchage ou le broutage doit avoir lieu assez à temps pour éviter que les touffes ne se déchaussent pas dès la deuxième année, car on sait que la houque laineuse a une propension particulière à se former en touffes saillantes ; le roulage et les hersages ne peuvent pas non plus être négligés, mais mieux vaut lui associer quelques autres graminées et légumineuses, comme le trèfle, la vesce, etc.; elle forme un excellent pâturage.

La houque se trouve bien à sa place dans la plupart des bonnes prairies ; on ne peut cependant passer sous silence que l'observation a appris qu'elle convient mieux dans les prairies perma-

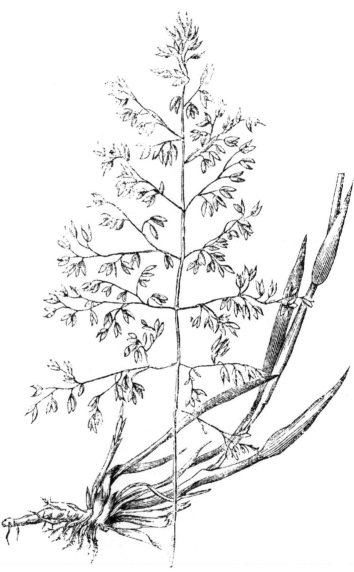

Fig. 48.
Houque laineuse.

nentes dont le sol est fort que dans les terres sablonneuses où elle étouffe les plantes qui l'en-
tourent. Cet inconvénient n'est plus à craindre
dans les prés, dont le terrement a lieu par les
inondations ou submersions périodiques.

Cette houque, assez précoce, est aimée par tous
les bestiaux, tant en vert qu'en sec ; les moutons
en sont très-avides au printemps ; elle est d'autant
plus succulente et savoureuse qu'elle est coupée
plus tôt avant la fructification ; c'est ce que ne
trouvent pas MM. Schwertz et Lingerke, qui l'in-
diquent comme une mauvaise graminée ; Thaër
ne lui attribue que peu d'utilité ; Schreber la place
au-dessus de toutes les autres ; Lohr, l'estime
comme un très-bon fourrage ; Nebbien, lui, prétend que la houque n'est une bonne graminée que
pour être consommée à l'étable ; MM. Lequinio et
Vilmorin ne sont pas très-éloignés de la préférer
au raigrass des Anglais et autres analogues.

Elle donne :

	En vert. Kilogr.	En foin. Kilogr.	Matières nutritives pour 10,000 parties.
Vers la mi-avril. .	4,431		
À la floraison { de	17,721	6,556	625
{ à	20,251	7,493	625

À la maturité elle ne contient que 429 parties
de matières nutritives pour 10,000 parties.

On emploie de 20 à 40 kil. de grains à l'hectare.

Hiérochloë.

Caractères génériques. — Locustes triflores ; fleuron supérieur
hermaphrodite à 2 étamines ; les latéraux mâles à 3 étamines. (F. 49.)

HIÉROCHLOÉ BORÉALE (HIEROCHLOË BOREALIS P. D. B.)

(Flam. *wetriekend zorggras* ; Angl. *Northern Holy-grass* ;
Allem. *Nordliches Darrgras.*)

Caractères spécifiques. — Panicule presque unilatérale ; pédoncules

glabres; fleuron hermaphrodite mutique; les mâles munis d'une
petite arête. Souche traçante. Vivace. Fleurit avec 474° de chaleur.

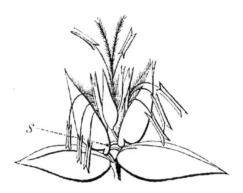

Fig. 49 (1).

Cette plante, indigène en Europe et dans l'Asie
septentrionale, aime un sol argilo-sablonneux, humide ; elle est très-précoce et fleurit à la même
époque que la flouve, elle parfume agréablement le
foin dans lequel on la rencontre et forme une des
meilleures pâtures pour les moutons; aussi, considérant le chiffre de matières nutritives qu'elle contient, et qui supplée le faible rendement de fourrage
qu'elle procure, a-t-on conseillé de lui associer la
flouve odorante et l'orge des prés pour la confection
de pâturages pour les petits ruminants.

Elle donne à la floraison : en vert, 7,834 kil.;
en foin, 2,742 k., contenant, pour 10,000 parties,
750 parties de matières nutritives ; la teneur en
azote est de 1.92 p. c. de foin normal.

Le produit en regain s'élève à 3,500 kil.

___

(1) Locuste de l'hiérochloé boréale, grossie.

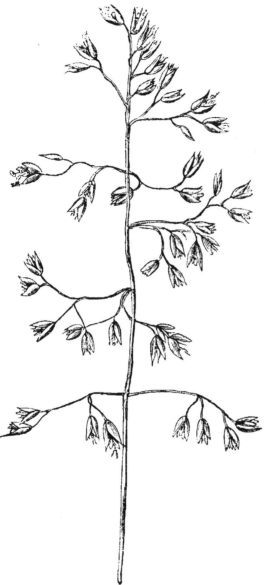

Fig. 50.
Hierochloe boréale.

Flouve

Caractères génériques. — Locustes à un fleuron fertile accompagné de deux fleurons inférieurs stériles réduits, chacun, à une paléole plus longue que celles des fleurons fertiles, et munie d'une arête dorsale tordue.

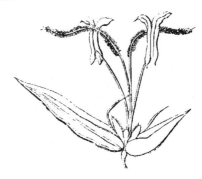

Fig. 51 (1).

FLOUVE ODORANTE (ANTHOXANTHUM ODORATUM L.)

(Flam. *Reukgras;* Angl. *Sweet-Scented Spring-grass,* Allem. *Gelbes Ruchgras*)

Caractères spécifiques. — Panicule spiciforme oblongue peu compacte, d'un vert jaunâtre, paillettes ciliées. Vivace. Fleurit avec 474° de chaleur.

La flouve odorante, indigène en Europe et en Sibérie, aime un sol sablonneux, sec ou frais.

Elle est très-précoce; la plupart des plantes sont mûres à l'époque du fauchage, ce qui n'est pas un grand inconvénient, puisque à cette période de végétation elle est très-nutritive, tandis qu'à la fleuraison elle ne contient presque pas de matières alibiles.

La flouve fournit deux à trois coupes ; l'odeur

(1) Locuste de la flouve odorante, grossie.

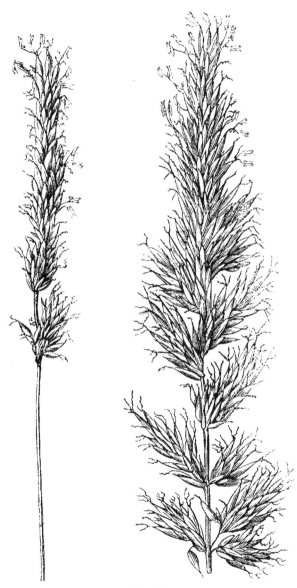

Fig. 52.

Flouve odorante (type).   Flouve odorante (var. géant).

agréable qu'elle exhale rappelle celle de la fève de Tonka, et parfume le foin. C'est elle qui caractérise le foin de première qualité, quand il commence à sécher. Le foin de mauvaise qualité et la paille que les animaux repoussent deviennent appétissants lorsqu'on y mêle de la flouve.

Elle plaît à tous les herbivores, tant à l'état d'herbe que de foin, et communique à leur chair une saveur et un parfum particuliers.

Elle paraît être plutôt une herbe assaisonnante qu'un fourrage proprement dit ; c'est ce que la théorie voudrait nous faire accepter, mais l'expérience démontre que c'est une graminée à la fois assaisonnante et nutritive, témoin les observations des éleveurs.

Il est des prairies médiocres où la flouve ne réussit pas, et qui donnent un bon foin ordinaire ; pour améliorer sa qualité et le rendre agréable au bétail on y mêle un peu de flouve que pour cela on cultive à part.

Elle donne :

	En vert. Kilogr.	En foin. Kilogr.	Mat. nutritives pour 10,000 parties.	Azote pour 100 de foin.
A la floraison.	6,594	2,566	312	0.62
A la maturité.	5,697	2,107	469	
Regain	6,530		273	

On sème 40 à 50 kil. de graine à l'hectare.

Tribu des Agrostidicées.

Locustes ne contenant qu'un fleuron fertile parfois accompagné d'un ou de deux rudiments ; glume à deux paillettes ; stigmates sessiles ou terminant des styles courts. sortant vers la partie inférieure ou vers la partie moyenne du fleuron.

Agrostide.

Caractères génériques. — Paléoles glabres ou munies à la base de faisceaux de poils extrêmement courts ou fleuron fertile accompagné d'un pédicelle non cilié.

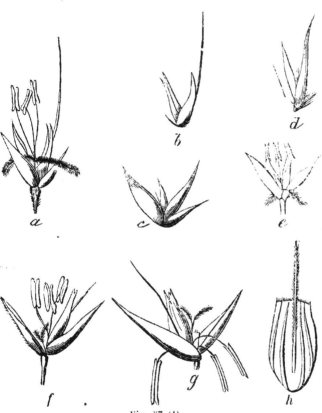

Fig. 53 (1).

(1) *a* Locuste de l'agrostide épi du vent ; *b* fleuron de la même, où l'on distingue le rudiment pédicelliforme ; *c* locuste de l'agrostide du Mexique ; *d* fleuron du même qui fait voir le rudiment pédicelliforme ; *e* locuste de l'agrostide vulgaire ; *f* locuste de l'agrostide des chiens, où le fleuron manque de paléole interne; *g* locuste de l'agrostide des chiens, où la paléole interne existe, mais très-réduite ; *h* paléole externe de la même, qui fait voir le sommet denticulé.

15.

AGROSTIDE DU MEXIQUE (AGROSTIS MEXICANA L.)

Caractères spécifiques. — Glumelle à deux paléoles, l'externe très-aiguë, mutique: un rudiment pédicelliforme à la base de la paléole interne. Vivace. Fleurit avec 2550° de chaleur.

L'agrostide du Mexique aime les terrains argileux ou argilo-sablonneux, humides.

Cette espèce, quoique fleurissant très-tardivement, fournit à l'époque où la plupart des graminées sont en fleur, une grande masse de fourrage, riche en substances nutritives et qui plaît à tous les bestiaux ; on peut la multiplier dans les prairies tardives à sols riches.

AGROSTIDE VULGAIRE (AGROSTIS VULGARIS SCHRAD.)

(Flam. *Gemeen Struysgras;* Angl. *Fine Bent-grass;* Allem. *Gemeines Windhalm.*)

Caractères spécifiques. — Glumelle à deux paléoles, l'externe, mutique ou aristée ; pas de rudiment pédicelliforme ; ligule des feuilles inférieures très-courte, tronquée. Panicule plus ou moins étalée même après la floraison. Feuilles radicales, planes. Vivace. Fleurit avec 2274° de chaleur.

Cette espèce, indigène en Europe et dans l'île de Sainte-Hélène, se trouve abondamment sur les bords des chemins, sur les berges des grandes routes et des coteaux, dans les prairies irriguées, ombragées, et dans les bois : elle présente plusieurs variétés, qui se sont produites sous l'influence du climat, du sol et des stations.

Elle plaît au bétail tant en vert qu'en sec, et contient assez de matières nutritives ; à ce titre elle peut entrer dans la composition des prairies; son rendement est loin d'être élevé.

Fig. 54 (1).

Agrostide vulgaire

(1) *a* Portion de feuille appartenant à l'agrostide vulgaire ; *b* portion de feuille de l'agrostide blanche.

Elle donne :

	En vert. kilogr.	En foin. kilogr.	Mat. nutritives pour 10,000 parties.	Azote pour 100 foin.
A la floraison.	9,495	4,272	536	1,30 à 1,35
A la maturité.	8,862	4,431	390	
Regain. . . .	2,552			

On emploie 10 à 15 kil. de graine à l'hectare.

AGROSTIDE BLANCHE (AGROSTIS ALBA WITH.)

(Flam. *Wit struysgras* ; Angl. *Marsh Bent-grass;* Allem. *Weisser Windhalm.*)

Caractères spécifiques. — Glumelle à deux paléoles , l'externe mutique ou aristée; pas de rudiment pédicelliforme. Panicule étroite, contractée après la floraison ; ligule oblongue. Feuilles radicales, planes. Vivace. Fleurit avec 2274° de chaleur.

L'agrostide blanche, indigène en Europe, en Sibérie et dans le détroit de Nootka, se trouve aussi bien dans les terrains secs sablonneux que dans les terrains humides argileux et glaiseux.

Cette espèce présente des variétés qui ont d'étroites liaisons, quant à leurs propriétés agricoles, avec la précédente. Mais une variété, dont le mode de végétation est des plus remarquables, désignée sous le nom d'*agrostide stolonifère,* a été l'objet de beaucoup de recherches en Angleterre et ailleurs. M. le docteur Richardson la considère comme la meilleure des graminées agricoles. Mac Gillivray, conservateur du musée du collége royal de chirurgie d'Édimbourg et membre de la société Wernerienne d'histoire naturelle, en décrivant cette espèce ajoute : « This is the famous fiorin grass of agriculturists. It hardly deserves the notice wich it has received. Wild geese and ducks are fond of its juicy stems and roods, wich have a sweet taste.» En France et en Belgique, le fameux *fiorin-grass* des Anglais est loin de jouir de la même faveur. Cependant, l'agrostide stolonifère peut être utile dans les prairies basses, sablonneuses et humides.

La récolte du *fiorin*, dans ces conditions, n'est pas la chose la moins embarrassante de cette culture. En Angleterre, on ne se borne pas à la faucher, la faulx ne pouvant retrancher que les extrémités des rameaux, déjà peu allongés de leur nature, mais on la gratte au moyen de râteaux en fer.

Cette agrostide fournit un des fourrages les plus tardifs ; mêlée à d'autres espèces, elle finit, au bout de quelques années, par étouffer toutes les autres dont elle ne souffre pas le voisinage. On la multiplie par le semis ou par fragment de chaumes pourvus chacun de deux ou trois nœuds.

L'agrostide stolonifère, récoltée dans les terrains humides et à peine submergés, est mangée avec avidité par les chevaux, les moutons et les bœufs, tant en vert qu'en sec : celle des terrains secs est repoussée.

Elle contient beaucoup de matières sucrées et gommeuses qui paraissent s'accumuler en grande partie dans les nœuds des chaumes primaires.

Elle donne : dans les prairies sablonneuses humides, en vert, 19,907 kil.; en foin, 8,958 kil., donnant, pour 10,000 parties, 520 parties de matières nutritives ; la teneur en azote pour 100 de foin normal est de 1.33.

Dans les terrains marécageux, on obtient en vert, 9,396 kil.; en foin, 5,168 kil., contenant, pour 10,000 parties, 281 parties de matières nutritives ; la teneur en azote pour 100 de foin normal est de 1.05.

On emblave un hectare avec 10 à 15 kil. de semence.   •

AGROSTIDE DES CHIENS (AGROSTIS CANINA L.)

(Flam. *Hond struysgras;* Angl. *Brown Bent-grass;* Allem. *Hunds Windhalm.*)

Caractères spécifiques. — Glumelle à une ou deux paléoles, l'externe alors très-petite; pas de rudiment pédicelliforme; panicule étalée; feuilles radicales étroites, enroulées. Vivace. Fleurit avec 2274° de chaleur.

L'agrostide des chiens, indigène en Europe et en Sibérie, se rencontre dans les prairies, sur les pelouses et sur les berges des routes.

Elle croît tantôt dans les sols humides fangeux où elle forme une excellente pâture pour les bœufs, tantôt dans les lieux élevés et secs où elle donne une herbe très-fine et savoureuse que les moutons préfèrent à toute autre.

Elle donne : en vert, 8,786 kilog.; en foin, 3,866 kil.; 10,000 parties, contiennent 512 parties de matières nutritives; sa teneur en azote, pour 100 de foin normal est de 0.74.

On emploie 10 à 15 kil. de graine à l'hectare.

Tribu des Miliacées.

Caractères. — Locustes à un fleuron fertile; paléole externe convexe, arrondie au dos, coriace, mutique, non enroulée autour de l'ovaire; paléolules deux; stigmates sortant vers la partie moyenne des paléoles; grain étroitement renfermé entre les paléoles indurées. Panicule rameuse, étagée, à rameaux verticillés ou subverticillés.

MILLET.

Caractères génériques. — Fleuron fertile dépourvu de rudiment d'un fleuron stérile; panicule à rameaux subverticillés. (Fig. 35.)

MILLET ÉPARS (MILIUM EFFUSUM L.)

(Flam. *Uitgebreid Geerstgras* ; Angl. *Spreading Millet-grass* ;
Allem. *Ausgebreites Hirsegras*.)

Caractères spécifiques. — Panicule étalée ou contractée ; locustes à fleurons glabres ; feuilles lancéolées-linéaires, larges, planes, molles. Vivace. Fleurit avec 940° de chaleur.

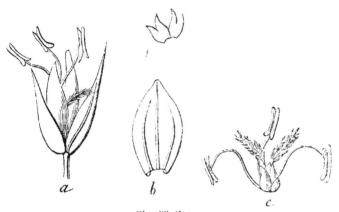

Fig. 55 (1).

Cette plante, indigène en Europe et en Sibérie, aime les endroits ombragés et ne se trouve à l'état sauvage que dans les bois.

Quoiqu'elle contienne en assez forte proportion un principe sucré analogue à la glycyrrhizine, la culture n'en a cependant pas été conseillée comme plante fourragère. Après des expériences et des essais, je n'hésite pas à la considérer comme une graminée qui peut être d'une grande utilité dans les prairies ombragées et dans les pâturages des bois.

(1) *a* Locuste du millet épars ; *b* paléole externe du même ; *c* organes sexuels avec les paléolules ; *d* paléolules.

Son rendement n'est à la vérité pas très-élevé, mais sa repousse est assez prompte, de telle manière qu'elle fournit une assez forte quantité de substances nutritives : cette graminée n'est pas recherchée par le bétail quand elle approche de la maturité.

Le millet épars donne : en vert, 7,278 kil., et en foin, 2,799 kil., contenant environ 5 p. c. de matières nutritives.

Le foin de millet a une couleur foncée, brun-roussâtre ou noirâtre et exhale une odeur agréable.

Tribu des Phalaridacées.

Locustes à un fleuron fertile accompagné ou non d'un ou deux rudiments penicilliformes ou paléoliformes, mutiques ; glume à deux paillettes ou nulle ; styles longs ; stigmates sortant au sommet du fleuron (les stigmates restent quelquefois inclus ou sortent au-dessous du sommet, mais alors il n'y a pas de glume.

Asprelle.

Caractères génériques. — Glume nulle ; panicule étalée.

Fig. 56 (1).

(1) *a* Locuste d'asprelle faux riz ; *b* pistil id.; *c* paléolules id.

ASPRELLE FAUX RIZ (ASPRELLA ORYZOÏDES LAM.)

Caractères spécifiques. — Panicule diffuse; locustes triandres, étalées ; paléoles carénées-ciliées. Vivace. Fleurit avec 5040° de chaleur.

Cette espèce, indigène en Europe, en Perse et dans l'Amérique septentrionale, aime de préférence les bords des eaux courantes, mais se plait aussi dans les terrains marécageux, où elle prend un grand développement et fournit beaucoup de fourrage qui est recherché par tous les bestiaux, malgré les aspérités dont ses feuilles et ses chaumes sont ordinairement couverts.

Alpiste.

Caractères génériques. — Locustes contenant un fleuron fertile ; Glume à deux paillettes mutiques : un ou deux rudiments pénicilliformes ou paléoliformes ; paléoles mutiques ; panicule plus ou moins labée ou spiciforme.

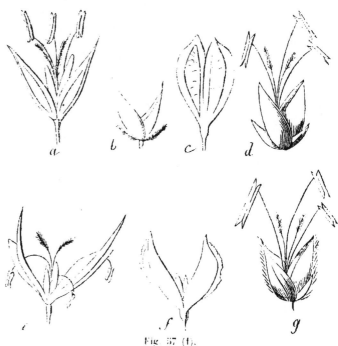

Fig. 57 (1).

ALPISTE ROSEAU (PHALARIS ARUNDINACEA L.)

(Flam. *Rietachtig Canariegras.* Angl. *Reed Canary-grass;* Allem. *Rohrblattiges Glanzgras.*)

Caractères spécifiques. — Deux rudiments pénicilliformes. Vivace. Fleurit avec 1988° de chaleur.

(1) *a* Locuste d'alpiste roseau ; *b* fleuron id. avec ses rudiments étalés ; *c* glume de l'alpiste des Canaries ; *d* fleuron du même avec ses rudiments paléoliformes ; *e* locuste de l'alpiste rongée ; *f* locuste de l'alpiste aquatique ; *g* fleuron id. avec son rudiment paléoliforme.

Fig. 58.
Alpiste roseau.

L'alpiste roseau, indigène en Europe, en Sibérie, dans l'Amérique septentrionale et au Japon, est commune sur les bords des ruisseaux, des rivières et dans les endroits marécageux. Elle mérite d'attirer l'attention de l'agriculteur. Dans les terres glaises sablonneuses, humides, elle donne un produit considérable et un très-bon fourrage que les bœufs et les vaches recherchent surtout.

Elle peut donner trois coupes, mais on doit la faucher lorsque la panicule n'est pas encore sortie de sa gaine foliacée.

Elle donne : en vert, 51,650 kilog.; en foin, 15,825 kilog.; 10,000 parties contiennent 625 parties nutritutives; sa teneur en azote, pour 100 parties de foin normal, est de 1.49.

L'alpiste roseau présente une variété à feuilles panachées qui est cultivée dans les jardins ; elle peut être d'une certaine utilité dans les terrains escarpés, secs, calcaires, où elle produit moins de fourrage, mais un fourrage que les vaches consomment très-bien.

Il est encore deux espèces d'alpistes qui peuvent être cultivées dans certaines circonstances : ce sont l'*alpiste des Canaries* (Phalaris Canariensis), et l'*alpiste rongée* (Phalaris præmorsa Lam). Elles fournissent un fourrage annuel très-recherché par le bétail, mais peu abondant. Elles ne donnent qu'une coupe.

Fléole.

Caractères génériques. — Locustes disposées en épi ou en une panicule spiciforme, cylindrique ou ovale, ou ovale-oblongue ; glume à deux paillettes mutiques, pas de rudiment pénicilliforme ; paléoles mutiques.

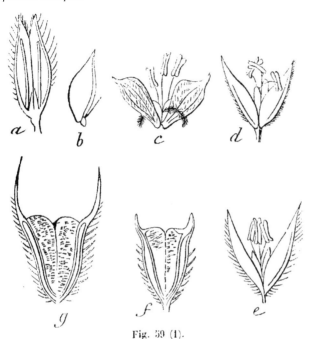

Fig. 59 (1).

FLÉOLE DES PRÉS (PHLEUM PRATENSE L.)

(Flam. *Doddegras, Timotheus-gras* ; Angl. *Common Cat'stail-gras*. Allem. *Wiesen-Lieschgras*)

Caractères spécifiques. — Épi cylindrique ; paillettes tronquées-acuminées ; paléole interne dépourvue de rudiment pédicelliforme Vivace. Fleurit avec 1988° de chaleur.

(1) *a* Locuste de fléole des sables ; *b* fleuron id. avec son rudiment pédicelliforme ; *c* locuste de fléole âpre ; *d* locuste de fléole lisse ; *e* locuste de fléole hérissée ; *f* locuste de fléole des prés ; *g* locuste de la même à long mucron, grossi.

16

Fig. 60
Fléole des prés

Indigène en Europe, en Sibérie, au Caucase et dans l'Amérique septentrionale, cette plante, que les Anglais nomment *thimothy-grass*, aime les terrains bas, humides, presque marécageux.

On l'a appréciée diversement : les uns lui reconnaissent des qualités médiocres à cause de sa tardiveté ; les autres l'estiment beaucoup et l'envisagent comme une des meilleures graminées, à tel point que c'est par la présence de cette plante, qu'ils jugent de la valeur de la prairie. Sans partager les exagérations des uns ou des autres, nous regardons la fléole comme une graminée qui plaît à tous les bestiaux, mais notamment aux chevaux ; qui fleurit, à la vérité tard, mais qui ne laisse pas de produire de très-bonne heure beaucoup de fascicules de feuilles. On la sème seule ou en mélange avec d'autres graminées, associée ou non à des trèfles ; elle donne deux coupes abondantes et un regain tardif.

Semée seule, la thimothée peut produire dans des circonstances favorables de 7,000 à 20,000 kil. de foin de bonne qualité et 5,000 à 6,000 kil. de regain ; 10,000 parties contiennent 275 parties de matières nutritives ; la teneur en azote, pour 100 de foin normal, est de 1.02.

Le choix des semences, provenant de pays étrangers, et de préférence la semence anglaise, contribue pour beaucoup au rendement.

On emploie 8 à 11 kil. de graine à l'hectare.

La *fléole noueuse,* qui n'est qu'une variété de la fléole des prés, est pâturée avec plaisir par les moutons et les bœufs, et aime une glaise argileuse.

Vulpin.

Caractères génériques. — Glume à deux paillettes, glumelle réduite à une paléole munie d'une arête dorsale ou hypodorsale.

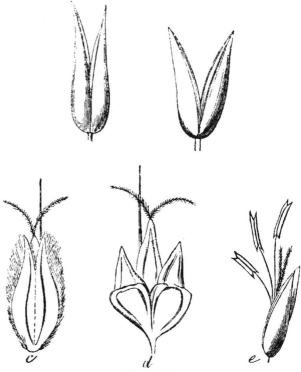

Fig. 61 (1).

VULPIN DES PRÉS (ALOPECURUS PRATENSIS L.)

(Flam. *Weydig Vossestaert-gras*; Angl. *Meadow Fox-tail-grass*; Allem.
Wiesen Fuchsschwanz.)

Caractères spécifiques. — Rameaux de la panicule portant 4 à 6 locustes; paillettes soudées entre elles, au moins dans le tiers inférieur. Tiges dressées ou ascendantes; souche non bulbeuse. Vivace. Fleurit avec 825 d de chaleur.

(1) *a* et *b* Glumes; *c* locuste de vulpin des champs. *d* locuste de vulpin utriculé; *e* fleuron de vulpin ou l'on a dégagé les stigmates.

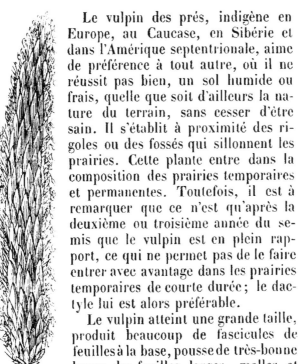

Le vulpin des prés, indigène en Europe, au Caucase, en Sibérie et dans l'Amérique septentrionale, aime de préférence à tout autre, où il ne réussit pas bien, un sol humide ou frais, quelle que soit d'ailleurs la nature du terrain, sans cesser d'être sain. Il s'établit à proximité des rigoles ou des fossés qui sillonnent les prairies. Cette plante entre dans la composition des prairies temporaires et permanentes. Toutefois, il est à remarquer que ce n'est qu'après la deuxième ou troisième année du semis que le vulpin est en plein rapport, ce qui ne permet pas de le faire entrer avec avantage dans les prairies temporaires de courte durée; le dactyle lui est alors préférable.

Le vulpin atteint une grande taille, produit beaucoup de fascicules de feuilles à la base, pousse de très-bonne heure des feuilles larges, molles et savoureuses, et ses chaumes contiennent beaucoup de matières sucrées ; c'est une herbe qui repousse sous la dent du bétail, qui résiste aux plus fortes gelées, qui ne paraît pas être très-sujette à devenir la proie des parasites, et, chose remarquable, qui donne plus de regain que de foin.

Le foin en est très-nutritif et pesant, et présente un goût agréable ; il conserve longtemps son arome, et, comme les tiges ne durcissent pas par la

Fig. 62.
Vulpin des prés.

dessiccation, il est très-recherché par le bétail. Il donne :

	En vert. Kilogr.	En foin. Kilogr.	Mat. nutritives pour 10,000 parties.	Azote pour 100 de foin.
A la floraison.	22,976	6,895	234	0.67
Regain		9,187		

On emploie 19 à 23 kil. de graine à l'hectare.

VULPIN GENOUILLÉ (ALOPECURUS GENICULATUS L.)

(Flam. *Gekuikte Vossesteert*; Angl. *Floating Fox-tail-grass*; Allem. *Geknieter Fuchsschwanz*.)

Caractères spécifiques. — Paillettes soudées entre elles seulement à la base; tiges couchées-genouillées dans leur partie inférieure et souvent radicantes; souche non bulbeuse. Vivace. Fleurit avec 750° de chaleur.

Le vulpin genouillé, indigène en Europe, en Sibérie, au Japon et dans l'Amérique septentrionale, aime les endroits humides, quelle que soit la nature du terrain.

Il fournit un fourrage que tous les herbivores mangent avec plaisir, et il n'est pas rare, comme le dit très-bien Lecoq, de les voir s'exposer quelquefois à s'enfoncer dans la vase pour aller le chercher. Beekman le range parmi les meilleures graminées des prairies humides; il convient plutôt pour être pâturé que fauché, quoique Loudon soit d'un avis contraire.

La culture de ce vulpin doit être recommandée dans les prés humides, sujets aux inondations et où pullulent tant de graminées et autres plantes de qualité médiocre, sinon mauvaise.

Il donne à la floraison : en vert, 6,550 kil.; en foin, 2,791 kil., contenant, pour 10,000 parties, 429 parties de matières nutritives.

On sème 23 à 55 kil. de graine à l'hectare.

Fig. 65.
Vulpin genouillé.   Vulpin fauve.

Tribu des Panicées.

Caractères. — Locustes à un fleuron fertile accompagné ou non de rudiments d'un fleuron stérile, disposées, 1° en panicule simple, 2° en une panicule rameuse étalée ou resserrée en épi (spiciforme). Paillettes et paléoles externes à dos convexe ou plan, non caréné, et ne s'enroulant point autour de l'ovaire. Styles allongés et stigmates sortant vers le sommet des glumelles.

Sétaire.

Caractères génériques. — Locustes toutes fertiles, disposées en épi ou en panicule spiciforme presque simple ou composée, lobée, compacte, quelquefois interrompue, présentant à leur base une ou plusieurs soies roides, denticulées, scabres; paillette externe glabre ou scabre, pubescente ou ciliée.

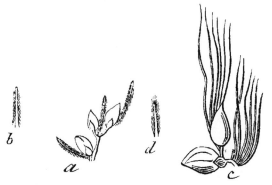

Fig. 64 (1).

SÉTAIRE D'ITALIE (SETARIA ITALICA P. D. B.)

(Flam. *Italiaensch panick gras* ; Angl. *Italian Panick-grass* ; Allem. *Italienisch fennick*.)

Caractères spécifiques. — Soies de l'involucre à denticules dirigées de bas en haut, involucre unilatéral à 1-2 soies pour chaque locuste ; paléole externe du fleuron fertile lisse ou presque lisse transversa-

(1) *a* Rameau fleuri de la sétaire verticillée ; *b* portion de soie faisant voir la direction des denticules de haut en bas ; *c* rameau fleuri de la sétaire verte ; *d* portion de soie faisant voir la direction des denticules de bas en haut.

lement. Panicule spiciforme ovale-oblongue, à axes secondaires allongés. Annuelle. Fleurit avec 1900° de température moyenne.

Cette plante présente plusieurs variétés, parmi lesquelles il faut signaler :

La *sétaire d'Italie maritime* (*Setaria italica maritima* Mich. et Lej.). Soies de l'involucre rougeâtres ou purpurines, trois fois au moins plus longues que la locuste.

La *sétaire séteuse* (*Setaria setosa* R. et S.). Soies de l'involucre longues, jaunâtres.

Et la *sétaire de Germanie* (*Setaria germanica*). Panicule contractée-jaunâtre; soies de l'involucre plus courtes, rarement à peine plus longues que les locustes.

Fig. 65.
Sétaire de Germanie.

Cette espèce indigène en Europe, aux Indes orientales et occidentales et à la Nouvelle-Hollande, produit des tiges et des feuilles abondantes que tous les bestiaux mangent avec plaisir.

La variété qui doit surtout attirer l'attention est celle qui est désignée sous le nom de *sétaire de Germanie* ou *moha*, originaire de Hongrie. Elle résiste bien à la sécheresse, et germe plus facilement que toutes les autres plantes ou herbes fourragères.

M. le comte de Gasparin s'exprime en ces termes au sujet de cette plante : « Le moha germe avec facilité et par des temps qui semblent trop secs pour faciliter la végétation des autres plantes ; une fois en terre, la moindre pluie suffit pour le faire pousser. Ses tiges sont très-feuillées, moins grosses et moins ligneuses que celles des autres millets, auxquels on doit les substituer pour la production fourragère. M. Vilmorin rapporte que dans la sécheresse désastreuse de 1842, au milieu d'une plaine calcaire où la plupart des récoltes périssaient sur pied, une petite pièce de moha appartenant à M. Pean de Saint-Gilles, s'est maintenue constamment dans un état sinon de grande vigueur, au moins de vie et de verdure. Elle a rendu à raison de 7,917 kilogrammes de foin sec par hectare. M. Rieffel cite une ferme des environs de Nantes où l'on obtient 18,000 kilogrammes d'herbes par hectare, se réduisant à 10,000 kilogrammes de foin sec.

« Pour donner de pareils produits, le moha exige des terrains fertiles ou fortement fumés. Ses non-succès doivent presque tous être attribués au défaut de fertilité du terrain. Quand on le destine à faire du fourrage vert, les semis, commençant quand la température moyenne est à 12 degrés, peuvent être pratiqués jusqu'en juillet. On réserve les premiers semis pour porter graines et alors on les fait un peu plus clairs. Il suffit alors de 5 à 6 kilogrammes de graine par hectare, tandis qu'on emploie 7 à 8 kilogrammes, quand on veut obtenir du fourrage. Cette graine est sujette à la carie et doit être chaulée comme le blé.

« Le produit étant de 10,000 kilogrammes de foin sec, il coûtera 1,701/100=17 kil. 01 de blé.

« Attendu la bonté du fourrage, c'est un prix comparativement avantageux. Ce résultat mérite une grande attention, surtout si l'on remarque que les pays du Midi peuvent l'obtenir en récoltes dérobées, et par conséquent à beaucoup meilleur marché, n'ayant pas à supporter une année entière de la rente. »

Panis.

Caractères génériques. — Locustes toutes fertiles non entremêlées de soies denticulées; disposées en panicule rameuse plus ou moins étalée ou penchée ; paillettes scabres ; paléole externe mutique.

PANIS MILLET (PANICUM MILIACEUM).

(Flam. *Panickkoorn ;* Angl. *Panick-Corn ;* Allem. *Hirsen-Fennich.*)

Caractères spécifiques. — Plante annuelle, hérissée de poils surtout la gaine des feuilles ; chaume droit, rameux, de 7-9 décimètres de hauteur ; panicule grande, lourde, penchée au sommet à rameaux géminés ; paillettes cuspidées ; fleuron stérile réduit à une paléole bidentée. Fleurit avec 1360° de chaleur à l'ombre.

Cette espèce présente plusieurs variétés, basées sur la couleur des paléoles qui sont blanc-jaunâtre, rougeâtre ou noirâtre.

Originaire des Indes orientales, le millet est cultivé en Europe pour ses graines et sa paille : il demande pour réussir un terrain un peu humide, meuble, chaud et fertile.

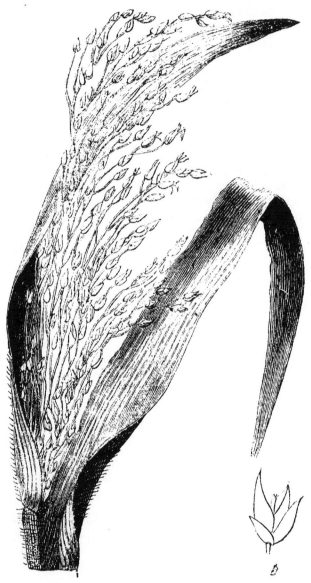

Fig. 66.

Panis millet.

Un hectare fournit de 4,500 à 6,000 kilogrammes de paille qui est l'une des meilleures pour la nourriture du bétail ; 150 kilogrammes de paille de millet équivalent à 150 kilog. de foin ordinaire.

PANIS ÉLEVÉ (PANICUM ALTISSIMUM AUCT.)

Caractères spécifiques. — Souche rampante, vivace ; panicule à 2-5 décimètres, très-rameuse, étalée, à rameaux verticillés, scabres ; fleuron stérile à deux paléoles.

Cette plante est indigène en Afrique et cultivée sur une vaste échelle dans les Indes occidentales et dans l'Amérique tropicale.

N'ayant pu faire aucun essai cultural sur cette espèce fourragère que l'illustre botaniste Persoon considère comme le fourrage par excellence, ce qui ressort du nom spécifique de *jumentorum* qu'il lui a désigné, et que Humboldt et Kunth ont admis, nous ne croyons pouvoir mieux faire que de donner ici un extrait de la description agricole qui en a été faite par M. le comte de Gasparin. « On a tant parlé de l'herbe de Guinée, dit-il, que nous avons voulu en savoir le dernier mot. Pas de doute que dans les pays tropicaux elle ne soit la première des herbes à fourrage, mais les choses se passent-elles en France comme aux Antilles ? » Voilà ce qu'il importait de vérifier. M. Aug. de Gasparin a commencé et poursuivi cette étude avec cette persévérance qu'on lui connaît, et il a obtenu tout le succès qu'il semble permis d'attendre de cette plante. Ses résultats ne sont pas de nature à nous faire préférer, dans nos climats, l'herbe de Guinée à une foule d'autres végétaux d'une culture plus facile et moins chanceuse... C'est par les éclats de racines ou par rejetons que l'on doit procéder pour la multiplication.

17

Nous avons éprouvé des non-succès dans nos essais réitérés; ils tiennent à plusieurs causes que l'on démèle facilement quand on s'est rendu compte des habitudes de la plante : 1° Elle exige un terrain frais et non humide en été, et sec en hiver. L'humidité de l'hiver a été une principale cause des pertes que nous avons éprouvées. Dès que M. Aug. de Gasparin a pu placer l'herbe de Guinée dans le sol qui lui convenait, elle a traversé l'hiver sans encombre. On conçoit dès lors que cette plante réussira parfaitement dans les terrains arrosés et bien égouttés. 2° On n'en obtient des produits considérables que sur un sol riche, et chaque année on doit recouvrir ses racines avec de la terre combinée avec une quantité d'engrais déterminée pour la récolte que l'on veut obtenir (1 kil. 50 d'azote pour 100 kilogrammes de fourrage). 3° Elle exige beaucoup de chaleur pendant sa végétation. Elle manque de vigueur si elle est soumise à une température locale trop basse; mais si elle est dans un terrain convenable, si elle reçoit des engrais suffisants et si les chaleurs sont fortes et prolongées, elle donne des récoltes abondantes et sa durée sur le même sol peut être indéfinie ; quand elle est bien traitée, elle fournit une prairie presque aussi durable, et son gazon est aussi bien fourni que celui de quelque plante que ce soit; l'avidité et la force de ses racines la défendent très-bien contre les mauvaises herbes. Quand on la défriche, on trouve une couche épaisse de racines qui facilitent l'écobuage du terrain et produisent une cendre abondante et riche.

Dans nos climats, l'herbe de Guinée ne mûrit sa graine qu'un mois après la récolte du blé, et après avoir reçu 2725 degrés de chaleur totale depuis l'époque où la température moyenne a dépassé 12°,5. Si donc l'on attend la formation de la graine, on ne peut pas espérer une seconde coupe, mais seulement un regain plus ou moins garni. On peut estimer cette coupe à 10,000 kilogrammes de foin dans le climat de Vaucluse.

Quand on veut planter l'herbe de Guinée, on se procure un nombre suffisant de fragments de racines et de rejets. Si le terrain n'a pas été labouré avant l'hiver, ou lui donne une œuvre de 0ᵐ,16 à 0ᵐ,20 de profondeur, on le fume avec un engrais dosant 150 kilogrammes d'azote, on enterre ce fumier par un trait de charrue que l'on fait suivre par des femmes portant les plants et qui les déposent, en avançant, à 0ᵐ,10 de distance les uns des autres. La charrue les recouvre en revenant sur elle-même pour ouvrir le sillon voisin. Cette opération, qui se fait quand la température moyenne est parvenue à $+13$ degrés, se termine en roulant le terrain. La plante donne une faible coupe la première année; ce n'est qu'à la seconde et les années suivantes que l'on obtient de pleines récoltes, si on continue à la fumer convenablement.

On peut commencer à la faucher en vert dès le mois de juin, et elle continue ensuite à produire de nouvelles coupes vertes pendant tout l'été.

La nature de l'herbe de Guinée, telle que nous venons de la décrire, montre qu'elle ne présente aucun avantage si sa durée est bornée à deux ou trois ans, puisque l'on ne peut alors parvenir à couvrir la perte de la rente de la première année. Elle ne peut être avantageuse que par la prolongation de son existence; elle rentre alors dans les conditions des prairies perpétuelles. Il est vrai qu'elle doit consommer plus d'engrais que celles-ci, com-

posées en partie de plantes améliorantes, mais il
sera quelquefois avantageux dans les pays chauds
de se procurer un fourrage d'un produit assuré,
qui, s'il ne reporte pas sa fertilité sur les autres
champs, ne coûte pas un prix beaucoup plus
élevé que le foin ordinaire.

Nous croyons qu'avec des engrais plus abondants on obtiendrait des récoltes (10,000 kilogrammes) plus considérables ; que surtout la con-
sommation en vert, sans attendre la floraison,
accroîtrait assez le produit pour que le prix du
fourrage ne dépassât pas celui des prairies. Il croit
vigoureusement avec des irrigations beaucoup moins
abondantes et beaucoup moins réitérées que celles-ci.

Sorgho.

Caractères génériques. — Panicule rameuse ; locustes géminées ;
l'une pédicellée uniflore mâle ou neutre, l'autre sessile hermaphrodite,
biflore à deux fleurons, dont l'un fertile et l'autre neutre ou stérile.

Fig. 67 (1).

(1, *a* Locustes géminées du sorgho vulgaire, *b* locuste hermaphrodite du même dont on a enlevé quelques parties.

SORGHO VULGAIRE (SORGHUM VULGARE PERS.).

Caractères spécifiques. — Panicule rameuse resserrée, à ramifications pubescentes poilues-velues ; paléole externe bidentée, aristée entre les dents; arète tordue, pliée; chaumes forts à nœuds pubescents. Annuel. Fleurit avec 2950° de chaleur.

Le sorgho, originaire de l'Inde, se cultive en Arabie sous le nom de *ta'am*, en Égypte et dans toute l'Afrique sous celui de *dourah-bebdi*, dans l'Italie et l'Espagne sous ceux de *sorgo* et de *duro*, pour son grain et ses panicules avec lesquelles on fait des balais. C'est en vue de ce dernier usage qu'on consacre en France au sorgho une grande étendue des riches terres d'alluvion du Rhône. Ces terrains produisent 4,200 à 4,500 kilogrammes de balais par hectare, qui sont vendus 50 à 40 fr. les 100 kilogrammes, et en outre 51 hectolitres de graine; enfin les tiges qui restent sont arrachées pour servir de litière et quelquefois de combustible (Gasparin). On en a conseillé, nous ne savons d'après quelles données, la culture dans le centre de l'Europe comme une excellente plante fourragère sous le rapport de la quantité et de la qualité du rendement; mais tous les essais qui ont été tentés n'ont pas donné des résultats satisfaisants. Le maïs fourrage, parmi les espèces annuelles qui demandent un haut degré de chaleur, doit lui être préféré.

SORGHO SUCRÉ (SORGHUM SACCHARATUM PERS.).

Caractères spécifiques. — Panicule rameuse, à rameaux étalés pendants; paléole externe mutique ; fleuron neutre réduit à une seule paléole. Annuel. Fleurit avec 2978° de chaleur.

Originaire des Indes orientales, le sorgho sucré a été considéré par Lamarck comme une variété du précédent avec lequel il a beaucoup de rapport ; ses tiges éparses ressemblent à s'y méprendre à celles de la canne à sucre ; elles contiennent une moelle abondante et sucrée qui a fixé depuis une dizaine d'années seulement l'attention de l'industrie, quoique, depuis plus d'un siècle, Ardaini de Padoue en ait retiré du sirop et du sucre cristallisable. On a aussi recommandé le sorgho sucré comme plante fourragère ; mais nous n'avons aucun fait qui nous autorise à nous prononcer sur sa valeur économique.

FIN.

TABLE DES MATIÈRES.

FIN DE LA TABLE DES MATIÈRES.

Imprimé en France
FROC032013121120
25698FR00015B/369

9 782329 487182